TINY STRICKER TRIP GENERATION

Bismarckstr. 7 1/2, 8900 Augsburg
Tel.: 0821/577131
Zeichnungen: Tiny Stricker
Umschlag: Berndt Höppner
ISBN 87512 - 034 - 5

1. Auflage	100 Ex.	Juli	1970
2. Auflage	400 Ex.	Jan.	1971
3. Auflage	500 Ex.	Okt.	1971
Taschenbuchausgabe rororo	20.000 Ex.	Juni	1972
4. Auflage	500 Ex.	Juli	1977
5. Auflage	500 Ex.	April	1979
6. Auflage	500 Ex.	Jan.	1982

VORWORT

T.S.

Gewidmet
mir und Furz Heiligensetzer
sowie unseren Zähnen, Syb. Brunner und Little Stanzi
und Jean-Paul Sartre, dem Pariser-Händler,

und: ....

(Name, Geburtsort, Hausnummer und Postleitzahl!)

Das Papier wurde gestiftet von Jack Kennedy am 4. März 1978 im Jahre des Schwarzen Elefanten.

gewidmet

Heidi, Gunther Hermann, 8000 München, Waldfriedhofstraße 007 bei Heymann (2x läuten!), Yul Brynner und den Governors, Jack Mayer/Houston und Josef Stalin/Moskau – Westfriedhof

und nun zum
traurigen Teil unserer Widmungen

Jack Rimmele (noch nicht tot), Rudolf Knackig (stirbt bald), Konrad Adenauer (völlig tot), Theodor Heuss und andere e. V.
im Tor: Sepp Herberger

designed by Sepp Grabenzeln

und nun endlich das Vorwort

den Amigos del Arte Abstracta (kurz: AAA), den Feinschmeckern und Kunstkennern, den duften Bienen, Joe Dillinger & Manuela, den Schtones Kurz:

ES LEBE DER SEXUS!

Thomas Argauer
Souvenir from Ammersee

Viele Grüße an Junkie Popp im SUN!

gewidmet
mir T.S. (I.N.R.I.) Amen

Choreographie: Marika Rökk + Fips Obermoser

gezeugt von
Eva-Maria Braun und Adolf Hitler a. D.

Festpredigt: Fips Angelus Obermoser

gewidmet
den Politikern:
Mao, Max und Moritz, Hänsel und Gretel, Rübezahl, Ertl, Picasso, Alfons Gallensteiner, der Gutsbesitzerin Frau Unox, Jacquelin Kennedy-Onassis, Helga Matura, Rosemarie Nitribitt, dem Fernseh-Trottel Max Schmeling, Gustav Gans und den Goggomobil-Pushern vom Lago Maggiore, den Kessler-Zwillingen und der „Sängerin vom Bodensee“

Sehr geehrte Damen und Herren!
Liebe Kinder! Brüder im Herrn versammelte! Christen und Fixer! Katholizisten und Polizisten! Franz-Josef Klo und Herbert Abort!

Hermann Löns und Frau Staubsauger!
Liebes Justizgebäude und die anwesenden Thannhäuser! Lieber Herr Wahnsinniger (Beppo Brem), Josef Blödian und Bill Ramsey im Café Oriental! Trick, Track und Trock! Lug und Trug! Mein Schatz! Liebe Mathäser-Bierfilzchen! Liebster Lurchi! An die Nick-Knatterton A.G. und das franz. Präsidium für Sexualkunde!

Lieber Herr Dr. med. Siemens, KZ-Mengele (Bolivien), Max Greger (Wies'n), die Niersteiner Domspatzen und die Frankfurter Domhaubitzen, dem Jesus von Oberammergau (CSU), dem „Held von Riem" und dem Käthe-Knoblauch-Institut für Kreislaufstörungen!

An den Weltmeister im Sackhüpfen

Und nun eine Gedenkminute für:
Kommissar X, Tarzan, Akim, Nick, Falk, Tom Prox, Billy Jenkins und die Heinerle's Wundertüte

Conférencier und Tyroler Schmankerln: Luis Trenker!

Es mögen bitte heiraten:

Hermann Karajan und Jean-Luc Godard,
Jayne Mansfield und Yogi-Bär,
Elvis Presley und Rita Pavone,
Brigitte Bardot und Gunther Sachs (wieder!),
Carlo Ponti und der Scheiß von Persien,
Kardinal Döpfner und Uschi,
Papst Leo und St. Pauli,
Uwe Seeler und Mama Heinemann,
Gary Cooper und „12 Uhr mittags",
Charles Manson und der Earl of Essex,
Joe Lennon und der Geist von Canterbury,

Sepp Grabenzell und Raquel Welch,
(damit endlich Ruhe im Haus ist!)
das „alte Haus von Rocky-Tocky“ und der
Eiffel-Turm zu Pisa und die Tower-Bridge
Romeo und Julia
Marika Kilius-Zahn und Hans-Jürgen Bäumler
Hans-Joachim Kulenkampff und Peter Frankenfeld
Daisy Duck und Daniel Düsentrieb
Wernher von Braun und the Spotniks

Wohin heute abend? Ins Picnic
Was machen

Land
- -
Stadt Fluß

Noch was, bitte mach keine Abstriche an meinem Manuskript, die Wichtigkeit der Großschreibung der Substantive siehst du an den letzten Blättern, deine Schreibmaschine ist gut. Hoffe, dich nächste Woche sehen zu können. Obwohl ich da bereits meinen Job als Aktmodell angetreten habe. Schreib mir trotzdem wieder und schick mir die neuen Lieferungen nach! Wäre gestern beinahe von einem Auto überfahren worden. Muß noch eine abgefackte Arbeit über den „Kalten Krieg“ in Kleists Frühwerken (selbstgewähltes Thema) zuende bringen! Spielst du irgendein Instrument? Wir machen demnächst eine Acid-Rock-Gang auf. Willie Heiligensetzer spielt Schlagzeug, Thomas Argauer (Amon Düül) spielt Stalin Orgel, Babyface Mayer Lead-Gitarre, mein Zahn singt, ich spiel Baß und Jack Rimmele die Geier-Geige, Rudolf Knackig: Triangel (kannst du jmd. auftreiben, der Zither spielt, wir brauchen unbedingt einen Zillertal-Background?)

Giao,
Dein TINY

PS:
Was macht deine italienische Liebe?

AUS

Aus dem Zug aussteigen und dem Traum entspringen (meine letzte Hoffnung – hätte gute Lust, in diesem völlig heruntergekommenen Englisch einen zu schmieren, dem Katzenjammer unserer Sekte, verfault zwischen zähneklappernden Hangovernächten, Money-Geschäften auf schlaflosen Zeitungen), wenn ich aufsehe, erhebt sich der Staub vom Boden, der Australier neben mir, der aussieht wie ein alter baskischer Baseball-Rebell (der vor jedem Schlag seinen Schnurrbart in die Lüfte zwirbelt), seinen 24-Stunden-Bewegungen wie aus dem Raum geschnitten; erwarte jeden Augenblick, daß er in die Wand zurücktritt, als kostbare, behandschuhte Touristenversteinerung .... Irgendwie stolz auf ihn, wenn er meinen albernen Charakter (meine Unfähigkeit, Ölsardinen rumzukriegen) mit einer philosophischen Mama bedenkt, wenn er andauernd kichernd tausend türkische Namen vor sich hinliest, wie Strickfrauen-Horoskope, hi, hi ...
Sitzen später im Pudding-Shop vor dem seligen Affentheater, wilder Mafia-Frühling in Klumpen hinter der Musikboxmaschine, Streichhölzer zwischen den Zähnen, die neuesten Tricks vom Ende der Welt über immergrüne Dämchen herab, die nach ihren Juwelen greifen – und nun die alte, 2x alte Django-Platte in gefährlicher türkischer Raserei auf dem Teller und das Gringo-Lächeln der Burschen auf einen schaurigen Namen auf alle Fragen auf DIE ANTWORT ...
Vormittags ging ich in die blaue Moschee, wickelte unter dem allgemeinen Gelächter der Umstehenden meine alten Sandalen herab, denke schon: eine echte geschenkte Weihnachtskatastrophe, mitten im Meer der Moslem-Pilger, die das verblichene Foto der Kaaba verlassen (verschränkte sozusagen die Beine, stützte mich auf meine Schulter wie ein König auf seine Kinder) bin glücklich, wenn das Gerede hinter mir gedämpft und ehrfürchtig in die Teppiche fällt, wenn der gerissenste Fremdenführer mich in sein Repertoire aufnimmt: Rührendes Beispiel einer neuen Atom-Welt-Kirche, sitzt zwei Schritt neben den alten Schriftrollen, vielleicht eben erst einer

furchtbaren Hieroglyphe entsprungen, ich fühle mich wie eine Wolke, noch zur gleichen Zeit von einem Gespenst namens G. in der hinteren Türkei angeblich gesehen – und dann wieder der Traum, alles zugleich fremd und lächerlich bekannt, überlieferte Treffs, vorübergehend geschlossen, teilweise gelähmte Gebisse, die sich umsonst zu öffnen versuchen ....
Ganz Istanbul ist eine ausgeräucherte giftige Opiumküche, eine stillgelegte Nervensäge, ein Aberglaube – behauptete stocksteif, nichts davon gehört zu haben – ohrensausende Augenblicke, blutunterlaufen aus Träumen gerissen, die Erinnerung stürzt gierig noch kreuzeschlagend in Ohnmacht – ohne einen Abschiedsbrief ...
Landete schließlich mit einem türkischen Burschen bei Nezrin im Bazar, die ich mit Werbeslogans überschüttete (mir läuft das Wasser im Munde zusammen, du) sie stickte mir einen wundervollen Ledermantel dafür, sehe mich schon als Monokel mit Katzengefolge durch den Schmutz. Abends das große Spiel: Wir lesen zusammen ein zerrissenes deutsch-türkisches Wörterbuch, und jedes Wort ist der Anfang eines phantastischen, zärtlichen Dramas, eines stillschweigenden Rituals ...
Koitus-Blues irrt durch die Straßen und stürzt plötzlich aus allen Löchern zu uns herein, Heere aufbumsender Autos, Grinsen zer schlagener Kühlerschnauzen, jungfräuliche Kirchenchöre fangen wie irrsinnig zu schreien an ... Tausendundeine Nezrin.

> Ich verliere alle Maße, Wasser schießt mir aus dem Hahn entgegen, Sonnenstrahlen zerbrechen die alte Achse in mir, werde ungelogen 20 Stunden schlafen, mein Sack zieht mich wie ein Stein in die Tiefe.

Gegen Mittag verschwinden sie beide aus meinem Leben, der au stralische Troubadour, und Conny, das Adressenmädchen, sie, die in letzter Minute mit mir die Kleider tauscht (was sich meine Verfolger allerdings längst erträumten), Conny ab in ein verstocktes, jüdisches Kibbuz in Israel, der Australier in die Minen von Akkaba, tiefer, weiter in die östliche Sonne hinein. Streitet euch mit den Raben um die Richtung.

Sie verschwinden aus der Fata-Morgana-Karawane meiner Tage, unter obskuren Rucksackgestellen, unter den rosa Strahlen der Sonnenbrillen und lassen ihre Gesichter zurück in den Bettlern, die mir eine Zigarette aus dem Mund schnappen, *danke schön*, in der Grazie eines ausgehungerten Tramps, der auf der Straße zu balancieren scheint, in herumlungernden Zentralverteilern („wir kommen“), eingesunkenen Alkoholprofessoren, deren letzte Festrede allein nach Hause geht, einer Polizisten-Schaufenster-Puppe mit Greta-Garbo-Augen . . .
ICH WERFE 20 PFENNIG EIN UND HOLE SIE MIR RAUS.

Ein bankrotter deutscher Tenor, der seit 10 Tagen auf seinen Tip wartet, saust, schweißig wie ein russischer Astronaut von Tisch zu Tisch, beginnt ungefähr so: „Bin in ner verdammt schwierigen Lage . . .“, „bist schwanger, oder?“ . . . „Ah, Kalifornien, endlich!“ und schon zittert er wieder hinaus auf die Straße, taucht unter in Hotelboy-Schlägereien, Mitfahrern, verängstigten Milchgesichtern. Wie alle Figuren zu BEGEGNUNGEN werden. Wir sitzen uns stundenlang gegenüber, weil nur noch hier frei war, gepunktete indische Mädchengesichter gehen über den Häuptern auf wie unsere Erdbeerfelder, keiner redet ein Wort, bittet um Feuer, bei dieser grandiosen SEX-SHOW, obwohl uns der Rauch längst vereinigt hat und erst als der eine aufsteht: dieses zögernde Lächeln vorsichtig nippend wie an einem heißen Getränk und das Bewußtsein, ein „lieber Freund“ zu sein (so, als wären wir noch gar nicht geboren . . .)
Der amerikanische Vollbluttourist, der seinen Zimmerschlüssel mit aufs Klo nimmt (Interpol), gähnt. Seine Sonnenbrille würde am liebsten ALLES sagen.

Nachdem mir ein Türke zu gütig mein letztes abgeschriebenes Buch aus der hinteren Hosentasche geklaut hat, schlendere ich zum Hafen hinunter, vom gelben Segel meiner Haare getrieben, verführt von der gebrochenen Melodie des Windes. Ich schwebe herab über den trommelnden Aufstand der Sonnendecks, über die Hahnenkämpfe versoffener Limonadenverkäufer, siehe, mein Schatten erweckt halbblinde Hunde, zieht ZWEI DREI Meere ans Ufer, ein Junge fängt Fische in schaukelndem Boot.

Ein fanatischer Emigrant, der einem 1848er Berliner Straßenkämpfer gleicht, dreht sich knapp um und spendiert mir Tee, eine Szene wie der Kuß des Herrn, wie auf ein Zeichen hin huschen die Bewohner des Docks aus ihren Gängen, Streuner, Patriarchen, vor Jahren vergessene Schiffsratten, kreisen mich ein, belgische Urlaubermütter gießen sich schon SCHRECK! den Tee wie ein Panorama übers Kleid! Aber eine Änderung, wir drehen die Szene anders, das Gegenteil folgt: eine ausrangierte Type schenkt mir eine tschechische Münze, ein Wunder der neuen Kunst, HASSAN, der Urdolmetscher mit zwei Worten Englisch, der Händler, der immer noch einen Karton Kaugummis verkaufen will, er zählt meine Finger und wickelt eine Bafra-Zigarette aus einem zerknitterten 5-Lira-Schein . . . Da fallen die Worte: Haschisch, Arsch-Fick, Fick. Und in diesem Augenblick, als ich verwirrt zur Seite schaue, als mein ganzer gehüteter Kindheitswahn von der gehüteten Güte des Menschen zusammenstürzt, bricht aus HASSANs Mund, diesem ruinierten, hingerichteten, Skorbut-bedrohten Treibgut-Mund: „YOU ARE ALWAYS IN MY HEART“ in klarstem Englisch die Botschaft der Liebe, die Formel der Schöpfung und er lehrt mich das erste Wort DU=SEN. Und ich, König und Prinz der Bettler, ALPHA & OMEGA. Sie, MEKILE: „Wenn du jetzt 20 wärst, wärst du der 20th NERVOUS BREAKDOWN, aber ich glaub, du bists noch gar nicht, was dann?“ der Rauch hört überhaupt nicht zu, was wir sprechen, spielt verträumt seine eigenen Spiele. Genau wie MEKILEs Worte, sie hören gar nicht zu.
Morgens mache ich es zur Gymnastik, die blaue Moschee zu besuchen; man muß schon *lange* herumhocken, um das zu erkennen, was man zuerst gesehen hat, daß die Schiffe stehenbleiben, daß die Berge aus dem Meer kommen und das Meer ein Teil des Himmels ist, wie man sagt.

ON

Ich verlasse Istanbul, die göttliche Prostituierte der Bosporusbrüste, nehme das Boot zum asiatischen Ufer, an krachenden Leuchttürmen vorbei, an rauschenden Flaggenschwärmen, an den Geheimnissen der Luft – verfalle in den Rhythmus der Landstraße, ausgezogen in die abschätzenden Trauerblicke der Frauen, die abwinkenden Trauergesten der Männer. Ein Dolmusch-Taxi bringt mich raus an die Autobahnfront (ein Gemüsespezialist zahlt sich aus). Ich lege an die Schminke des Staubs, umwirbelt von den Western-Paraden der Polypen, von rastenden LKW-Fahrern, die mir bei jedem Wagen in Sicht zubrüllen, daß er nur bis zur nächsten verdammten Ortschaft fährt – und da mitten in einer Fluchsalve geschieht es – eine Karre stoppt, schießt zurück, ich beginne zu flattern, der Graukopf haut seiner Frau auf den Hintern „nun hast du wieder einen Sohn“ – und Sekunden später sitze ich in weichen Polstern, lutsche Bonbons, Diabetiker-Schokolade, erkenne mich wieder auf fremden Familienfotos, genieße die Ovationen und Steinwürfe rennender Hirtenjungen, die „Zigarette“ vor „Mammi“ und „Pappi“ lernten, rede von zuhause.
Und mir öffnet sich unter dampfenden Wolken das Festbankett der Landschaft, goldgestickte Blumenmatten, der Pelzkragen der Wälder, verknotet mit Hängebrücken, Telegrafenmasten, Farbtupfenziegen und darüber – zu allem Überfluß – das Cinerama des Himmels: Drachen in Wasserfälle verheddert.
Ich lasse das Bündel meines Ichs zurück und betrete die große Straße, die Alexander Magnus und Dschingis Khan dahinkrochen, ich bin ein Vorwärts im östlichen Treck der Hips, ein Auto des Geistes.

Abends, als die Wolken unter vielen Verbeugungen aufbrechen, das große Finale: Regen, Applaus klappernder Würfel, nasses, pissendes Licht, vom Druck des Tages befreit, Zigarettengas füllt meinen Körper, hebt ihn weg für die Nacht.
Ich bevölkere mit College-Jungen die Straße, höre Gedichte rezitie-

ren mit Puff-Refrain, höre den fernen Tanz der Sterne.
Ich schreibe wie auswendig gelernt (höre immer wieder den lausigen Tonfall eines Jugendfreundes heraus) in der verlotterten Existenz meines Zimmers, dessen Zentrum eine Riesenwasserpfütze ist, Oase durchreisender stöhnender Tauben, umzingelt von Grammophonen, bewacht vom gebieterischen Röcheln eines Reise-Opas, der nach meinem Körper schielt – muß mich gleich mal kratzen, meinen Schwanz reparieren. Schon lange keine Lust mehr zu schlafen, soll der Schlaf selbst ins Bett steigen und seine wüsten Träume träumen, seine Albträume.

Herr und Frau Curie.
„Phallinesium."

„Das ist das letzte Element, das wir heute entdecken wollen. Meinst du nicht auch, Marie?"
„Nein", sagt sie hart, mit diesem vom oralen Verkehr verhärmten Mund.

BYE BYE ANKARA

Um sechs stopfe ich mich in den Vorortzug, aus allen Ritzen platzen Menschlein, junge Burschen in toller Langsamkeit auf dem Waggondach auf und ab. Am Highway springe ich ab, reihe mich ein in die bunte Schnur heimkehrender Matrosen, Tankstellenboys, ausgebrannter Omnibuswracks nach Mekka, hülle mich enger in meinen Pyjama aus Dieselgestank, kommt doch geradewegs aus dem Morgen ein Tanker, bremst und schon glitzere ICH in der Führerkuppel, blinzle aus der Windschutzscheibe wie ein Insekt, rauche eine Bafra, diese billigste und kostbarste aller Zigaretten, die bis unter den Nagel brennt.

Währenddessen breitet der Fahrer das verschwenderische Gewäsch internationaler Verständigung aus, ich verstehe jedes Wort (wie ich jetzt alles hinkritzle, ohne nachzudenken).
Wer sich der ROAD einmal ausgeliefert hat, ist ihr Fanatiker wie ein Zigeuner, ein Mercedes-Beduine. Bemißt man die Stunden nach Lifts, die Menschen nach Chauffeur-Mimik, nach Gangschaltungsfingern, in Zügen bin ich nervös wie nach ner Zigarette.

HIYA, BUMMER

Abruptus erfaßt mich der ganze manische Porno-Film der Landschaft, wie die Straße zwischen den Hügeln von der „Unterwelt" aufgesogen wird, wie die Formen auf Touren kommen und ineinanderstechen – wer hier geboren wird, ist geradezu verdammt, ein russischer Kunstmaler für Kenner zu werden, ein Fick-Action-Painter, aber wozu? . . .
Der Motor schnaubt wie ein verendetes Tier, das sich über den unsichtbaren Fluß rettet, da biegt der Fahrer links ab. Irgendwie bringt er es nicht übers Herz, mich abzuwerfen und ich folge ihm blind wie ein Huhn. Landen dann auch in einem gottverlassenen Kaff, Motor sowieso am Ende.

Als ich lostripple, fangen mich ein paar Türken ab, laden mich ein zu Käse und Weißbrot, tänzeln vor Freude.

Unbezahlbare Nächte in ausgekochten Überlandbussen, Sitzreihen zertrampelte Gärten, verwüstet vom einsamen Gesang des Fahrers vorne, Körper ausgedreht über die Lehne gehängt, Atem, das braune Nichts, das durch die Fenster strömt – Gesichter draußen – am Morgen sind meine Haare verdorrt, meine Haut hat sich selbst mumifiziert, ein Farmer, der wie der geflüchtete Rock eines Landpfarrers aussieht, knallt sich neben mich, predigt, jemand fragt spitz: How old are you? die Nacht bleibt in dunklem Regen zurück, verjagt von dem Trommeln meines Gehirns, vom Luftschnappen der Leute, ein ausgeschüttetes Aquarium
Sicher der letzte zerstörende Morgen vor der Erleuchtung, ich durchbreche die Schallmauer, passiere die Tag-Nacht-Grenze, lasse die letzte Instanz hinter mir und spüre die erste aufstoßende Freiheit, die Leere verkrümeln.

TEHERAN

„Eine Garage." Farben von unhörbaren Schüssen aufgestachelt, über den Boden stoßweise schwarzer Dunst aus Abflußröhren: Das Schnauben des Teufels, und das Hotel voller Geschichten.
„Ich heiße AMIR, aber man nennt mich AMIA, wie mein Mädchen." NICK, der Radrennfahrer, der riesige Penisse in die Zimmer malt. SIMON O. Seward, ein delikater, adliger Mitsommerregen aus Yorkshire, bottled in bottles. DRAMME, der ebenholzfarbene, aus Senegal, unter uns Europäern war er einsam wie ein weißer Elefant, ein verwunschener Prinz ....
DRAMME, der schönste und einsamste ... BAAL, RAVI SHANKAR (wortlos) ... what's your – wie soll ich sagen – idea of life? Alle zusammen in Pärchen im Kino: ARZOO, der Gammler-Hit aus Indien, alles wartet gespannt aufs Unglück, das ganz andere Formen annimmt: ein Amputierter steht fasziniert vor einer Säge, ein Tränenvater, der wie ein Zuckermännchen auf einem Geburtstagskuchen aussieht, mit diesen dunklen, gebrochenen Zuckeraugen – und endlich dieses bestürzende, groteske HAPPY END:
Hochzeit der Amputierten.

Fahrt: ein Esel trottet stoisch und unwirklich langsam über die Chausee, MAHMOUD hält, wir flitzen raus, rennen ihm nach wie einem antiken Fabelwesen, in großen Bocksätzen mit Zentaurenschreien, MAHMOUD springt ihm auf den Rücken, hopst wie ein monströser Falter durch den Klatschmohn, dann ich, dann der andre, alle wirft er ab, wir wälzen uns in Blumen, HUSSEIN, zu mir, durch die Zähne gepreßt: „Ich will dich ‚schwarz' machen, Kleiner, schwarz machen", wieder im Auto fasse ich den Entschluß, meine Tochter „Blume" zu taufen, einfach „Blume".

DIE BERGE

Das Paradies flüchtete sich in die Berge, SIMON und ich, aufgebrochen aus der Morgenstadt, über Gerümpelfelder, Heringsdosengeröll, von Kindergirlanden umspielt, in reinen Kleidern, schwer von Sonne, hinter den Mauern gehörnte Bergbauern mit Distelschnurrbärten und schon verschwunden. Rückkehr in die Bibel: SIMON löst sich auf in Phantasie, sieht im Lammfellmantel und Dolch aus wie ein letzter Krieger, der seinen Prinz über die Berge rettet.
Mittags im COCA-COLA-Schatten eines Restaurants, wie zwei überlebende Stories aus dem 2. Weltkrieg, in der Zisterne ein schwarzer, ein goldener Fisch. Die Menschen sind still hier oben, sie tragen die Stimmen der Berge in sich, die vornüberstürzende Sprache der Felsen, wir werden zurückkehren wie Felsen. Aber es kommt anders, eine Meute schwuler Perser lädt uns ein, wir folgen ohne großen Aufwand, schütten Wodka hinunter, Kabab, Erdbeeren, antworten mit gekünstelter Scheu, SIMON tritt mich zwischen die Eier, er kennt ihre Sprache.
Wo ich immer schon beim Essen diese namenlose Abneigung gegen Penisse hatte (gegen fremde, nicht gegen meinen, den ich hütete wie einen kleinen Gott), kann mich noch sehr gut an den Schock erinnern, als mir meine Mutter das mit dem MANN erklärte – alles mögliche hatte ich mir erwartet, nur das nicht! Mein winziger 4jähriger Bruder schien das allerdings schon längst zu wissen und auch meine Mutter strahlte –
Die Hetze zieht auf, sie schleppen uns hoch bis zum letzten intimen Café, schlagen Rendezvous, Kino und Telefonnummer in den Wind, den ganzen sexuellen Verrat des 20. Jahrhunderts, bestellen den letzten Tee.
Ich suche mir den ältesten, fettesten, impotentesten Typen, der eigentlich nur zur Schau mit war, aus, kuschle mich an ihn, wie er verzweifelt sein Knoblauchsüppchen mampft – zwei Burschen schnappen sich SIMON, diesen hehren, zerbrechlichen Schwulen-Guru, zerren ihn den Steilhang hinauf, lassen ihn blutend verwildert im Felsen zurück; der Alte verteidigt mich wie ein Wolf, ich

entschuldige mich für einen Augenblick, renne aufs Klo, meine letzte Rettung aus diesem Kino, aber mein größter Fehler: denn draußen warten schon wieder zwei, wälzen mich halbnackt aus der unschuldigen Latrine heraus und rauf auf den Berg, oben kriegen sie Krach, wer zuerst ran darf, da reißt mich schon der eine brutal und tollkühn wie ein flüchtendes Pferd den Abgrund hinab, der andere stürzt aus Gram in den Sonnenuntergang – weiter, und nun diesem kleinen Muskelprotz ausgeliefert, diesem kleinen romantischen Halsabschneider, der mich an diesem halsbrecherischen Platz hopp nehmen will, drückt mich hart in die Felswand, läßt seinen Steifen schußbereit in mein hervorquellendes Etwas gleiten, will nochmal zurückwuchten, rasend vor geiler Wut, verliert plötzlich das Übergewicht und fliegt wie ein langgezogener Schrei in die Schlucht hinab, schlägt in einem einzigen Orgasmus auf, ein Opfer der Liebe – habe ihn nie wiedergesehen, renne noch lange halb besoffen in den Felsen umher wie eine Henne, von ihren Rufen verfolgt, ein graues Harold-Lloyd-Movie ohne Statisten.

Abends klein in den Weihnachtskrippen der Felsen aus blauem Neon, von fern die Stimme PHANTOMS: „Und das Paradoxe daran ist, daß JESUS, wenn er heute diese langen Haare gehabt hätte, genauso abgemurkst würde“ – und im nächsten Atemzug von den Athletenwettkämpfen hier, die der Schah alle gewinnt und von dem kleinen süßen Prinzen, diesem Prachtjungen.

Leergefegte Schallplatten, mein Gott, was habe ich heute schon alles geredet, leergefegte Schallplatten, eine irre Hitze auf meinem Kopf konzentriert, leuchtet auf wie eine Glühbirne.
Sehe noch diesen hirnverbrannten Röttle vor dem afghanisch-amerikanischen Zoll stehen: „Was ham sie denn in ihrem Sack?“ (Sperma, hi) und Röttle (zieht seinen anderen Colt): „HASCHISCH, wieso?“ „Was für ein Scherz“, lacht der Zoll-Opa, „wie kann er Haschisch haben, wo es doch verboten ist, sind doch alle schwachsinnig diese Hippies . . .“

Das Aufleuchten der zu Boden gefallenen glühenden Gedanken, das Zimmer glimmt wie ein Friedhof mit tausend Kerzen; sehe, wie die Seelen unten mürrisch zueinander reden, wie sie mit ihren langen, weißen Bärten spielen und sich dann plötzlich aufrichten aufrichten und „hm" machen; nicht mehr zurücklesen, das ist alles arabisch, von rechts nach links, von einem dicken Polizistenpenis herumdirigiert, der Bulle versucht verzweifelt, sein Glied zurückzureißen, zwickt es sich zwischen die Beine, da flippt es hinten raus, und baumelt im Wind, leise singend GOING HOME, GOING HOME, eigentlich müßten sich diese Buchstaben alle verwirren (von den vielen Penissen, an die ich hier denke) diese schüchternen, little Buchstaben.

Messe die Zeit nach Schallplatten, verfolge den ganzen Zug der Schallplatten bis in meine Kindheit zurück, jene riesige, schwarze Schallplatte an meiner Wiege, die Stimme meiner Mutter nämlich, die mir immer wieder MAMMI & PAPPI beibringen will, wie einem Papagei und am Schluß springe ich, dieses winzige Baby, aus der Wiege und jammere NICHT Mammi und Pappi, sondern schreie wie irgendein verlauster Piratenkäptnpapagei: „FUCK . . ."

Und meine Eltern stellen sich taub und wollen nichts gehört haben „was für ein lieber Junge" aber das Papageienbaby schreit den ganzen Tag FUCK FUCK FUCK FUCK und der Vater hält sich die Ohren zu und sagt zu seinem Frühstücksei FUCK (ein fürchterliches FUCK, denn das Ei überlegt erst wie in Trance und bricht dann in einem gelben Skandal in der Mitte auseinander).

Und bei der letzten Festrede, die ich über den Rauschgiftkongreß der versammelten Häuser Teherans halte, stürzt das ganze seit Jahrhunderten inhalierte Haschisch und Opium aus den Dachbalken, Haschischleichen drehen sich im Grabe um, lassen den psychedelischen Duft wie eine Sonnenfinsternis über die Erde strömen, Haschisch, Opium, LSD, die neuen COMIC-STRIP-Helden des 30., 40., 50. Jahrhunderts und die Toten atmen wieder frei . . . LSD in Gestalt eines Atomphysikergehirns durch das Weltall geisternd,

paart sich mit TARZAN, plötzlich schwul geworden, von hundert geilen Pygmäenvölkern ausgespien in den Raum, auf die Venus in die Flitterwochen. Erfüllt mich die ganze Jugend TARZANs, die immer verschollen blieb, von der nicht einmal die eingeweihtesten Tarzanleser etwas wußten, nur ungenaue, heimliche Vermutungen (von seiner Geburt von einer Weißen und einem Panther) – so wie alle Leute am liebsten als schwarze Katze sich über den Weg liefen, weil sie die schwarze Pantherseele in sich spüren, die mit einem einzigen schwarzen Satz allem ein Ende bereitet.
Zurück zum Kongreß der internationalen Haschisch-Föderalisten, Hitler hebt in der ersten Reihe die Hand unter seinem gigantischen Schnurrbart hervor, der immer noch weiterblüht aus der Erde und Rommel irrt durch die Wüste und sieht einen Strauch mit süßen Früchten, rennt her „gerettet“, stellt sich raus, daß es ein Teil von Hitlers wurzelschlagendem Schnurrbart ist und daß die süßen Früchte Hitlers letzte Tränen sind über den Sieg und Rommel beißt rein und geht auf einen letzten ungewollt süßen TRIP. Fasse mir ins Gehirn und schalte eine andere Szene ein, das Gehirn reagiert abweisend mit bitterem Lächeln, dann plötzlich dieses zweite Gesicht in meinem Gehirn, das in mein Gehirn schaut und BLÄTTERT.
Es ist alles schon so lange her, die ersten Ausbrüche, als ich mit der Schallplatte auf gleicher Höhe zu sein glaube, und GIUSEPPE in rasender Geschwindigkeit wie ein Schlittschuhläufer auf der Schallplatte herumsauste und diesen verrückten, eisigen Tönen nachjagte und dann als ich fortging, wie er sich liebevoll um mich bemühte, der erste Abschied mit 20 Jahren, der zweite mit 40, der dritte mit 60, mit hundert Jahren, der zittrig seinen letzten Freund aus dem Haus treibt, mit der ganzen Wut seiner hundert Jahre erfüllt und dazu diese irren, kaum noch hörbaren Reime:

Schreiben
Schweigen
Schweigen
Greifen
Schreiben
Scheißen

Hände hoch oder ich scheiße.
Und jetzt schreibt das Papier selbst, völlig neue Buchstaben huschen übers Papier, mysteriöse Schriftzüge, beobachtete Caesar, wie er in einer einzigen Nacht seinen Gallium Bellicum schrieb, berauscht von seiner Handschrift und als sie ihm nachher die neueste Gallierin ins Bett bringen, schreibt sein kahler, olympischer Schwanz weiter und verhaucht in diesen verrückten, genialen Schlußworten, in Millionen Kreuzworträtseln über die Erde verteilt und sobald dieses Kreuzworträtsel, von Jesus am Kreuz erfunden, voll ist, kommt die Erde ins Wanken, Abertausende von Wörtern geben ihren greisen, schwachsinnigen Dichtern einen letzten Kinnhaken und vereinigen sich im Gehirn von LSD.

Die magische Geste, als ich in SIMONs Zimmer übersiedelte, in seine Kirschblütenklinik Die Tragik AMIAs, der im Varieté auftrat, bis seine Bongos zerbrachen.

DRAMME ist der geborene männlich-weibliche Manager eines unzweideutigen Etablissements, er erhängt sich den ganzen Tag im Telefon, macht imaginäre Abkommen mit schweren Amerikanern aus, ruft mich von Zeit zu Zeit, weil ich dieses Baby-Doll-Geräusch nachahmen kann, und schon ertönt mein „Hi, Love" auf allen Kanälen – habe das Gefühl, in dünnen Röhren überall angezapft zu werden.

DIE ROSE

Auf der Straße ein Mädchen mit Rose, plötzlich habe ich diese Rose in der Hand, dann ihre Hand, wir gehen in ein Fotoshop und lassen Verlobungsbilder machen, zwei Posen, einmal die Köpfe aneinandergeschmiegt, dann sie auf dem Stuhl, ich aufrecht, ihr Kopf an der Naht, kostet zusammen 40 Tuman (ein Vermögen), ich verspreche Dienstag zu zahlen, heute haben wir vielleicht Donnerstag, bin von der heißgelaufenen Zeit überrannt, ein TREIBENDER STEIN am Grunde eines nichtvorhandenen Stromes.

SIMON wartet jede Nacht bis Punkt 10 und hechtet dann wie ein Tiger in mein Bett rüber: „Du erinnerst mich so an meinen kleinen Bruder“ verräterisch schluchzend, herzerweichend (weiß genau WIE er das sagt, in diesem Besserwisser-Ton, und welches Gesicht er dabei zieht, und Marshal McLuhan wird eines Tages schreiben: „Dieses Buch ist eine Herzensangelegenheit, eine biologische al-so“).

ABSCHIED

Den ganzen Tag rumgerannt, ein halbes Dutzend unterzeichneter Verträge in der Tasche, Lebenserfahrungen auf dem Buckel, platt vom Laufen, da gesteht SIMON, daß er wegfahre drei Tage, aber man kommt nicht zurück und ich bin traurig wie ein gebadeter Schwanz. Aber am Abend erfaßt er mich doch, wie SIMON wußte, der aufkommende Luftzug, entführt mich aus Versprechungen und Dunkelmännern hinaus in die wirbelnde Fahrt des Erdballs

. . . . .

DRAMME erhält als Andenken unser Zimmergewächshaus mit reichen Inschriften und Gebärden verziert: Souvenir les Cops und I am the real HEAD, DRAMME holt noch Bier und Shit und sagt plötzlich mitten in unsere Aufbruchsfreuden hinein, wie nutzlos er sich fühlt in der Gesellschaft und verspricht, meinem Begräbnis beizuwohnen, lachend wie eh und je und AMIA schenkt mir sein rotes Magnolia-Hemd, ein Märchen (Unter der Hand: komme mir vor wie Audrey Hepburn bei ihrem letzten Auftritt und Burt Lancasters Gelächter schon im Hintergrund.)

DIE WÜSTE

HEINZ, ROSIES kaputter Geliebter, fährt uns noch stundenlang nach, treibt den Busfahrer an den Rand einer Nervenkrise, dreht auf offener Straße dreimal um und saust wieder nach, bis sein Gesicht verschwimmt, die letzten Zuckungen eines Ertrinkenden im Raum – und nun gehören DIE Zähne uns: ROSALIE, kurzsichtig niesend, ein einziger Sonnenbrand und die kolossale – „Mamma" HELEN, die durch ihren aufgerissenen Mund ganze Tage abläßt, aufgeschreckt von ROSIEs Amerikanisch, jeder Satz wie die kratzende Umdrehung einer 1930er Arienplatte . . .
Die Wüste sieht aus wie die erste gelungene Gesichtsoperation, die Straße sticht in den Horizont, die Dinosaurierrücken der Berge, von vorüberziehenden Wolken verlacht, die Köpfe im Sand verscharrt, aus Erdbebendörfern grinsend, totes Land, beobachtete im Spiegel SIMONS zerredetes Gesicht, da hält er es schon nicht mehr aus, springt auf, zieht eine Grimasse und beginnt ROSIE zu verdreschen, ein Altvater kommt von hinten zu Hilfe, reißt Simon den Arm aus, die Karre stoppt, alles scheißt, pißt und kotzt in Ekstase. Männer tuscheln: Diese Roselyn ist so n richtiges Wüstengewächs, die könnte ihr ganzes Leben achselzuckend durch die Wüste galoppiert sein – und Mamma Helen erst, ein vollgepumpter Ballon, den ein bööööser Wind in die Wüste Gobi verschleppt hatte, . . .
Aber wir kommen gut voran.
Abends ist der Himmel dünn wie Zellophan und die Straße sticht schnurgerade in den Horizont, fühle richtig wie der Sauerstoff entweicht, die Sphäre über unseren Köpfen zusammensinkt – und noch später wird die Wüste ein riesiges, dunkles Zimmer mit nur einer Wand, dem Boden, und das Dach schon lange fortgefegt „schon sehr lange" möchte ich doch behauptet haben, poltert der Sturm, wenn er einmal in 200 Jahren über die . . . . niedergeht.
Andertags Persepolis, waten völlig ermüdet durchs Pflaster, von Löwenrachen verschlungen, von aufbäumenden Streitwagen zertrampelt, die anderen, ROSIE, SIMON, HELEN, irren wie schreck-

lich mißlungene Skizzen umher – das einzige, was mir gefällt ist die Klarheit:

kommen runter – und nirgends ein Landeplatz
„komm gut runter, ROSIE“
„ich war gar nicht oben“
„dann bleib auf deiner Fläche, vielleicht kann ich landen“
und wie ich landete.

SCHIRAZ

Die Nacht geht wie eine Seuche um, Rückzug aus Banken mit Mozartmusik, ungedeckten Reiseschecks, plötzlich in Seitengassen verirrt, augenflackernde Angst, HELEN, die gute Mamma Helen, mit einem Metzgermesser voraus, SIMON schwingt eine Milchflasche wie irgendein fistelnder Operntenor – bleibe mit ROSIE zurück, die zärtlich nach einem Dosenöffner für mich sucht, plötzlich von Kerlen eingekreist, aus allen unterirdischen Höhlen hervorgehuscht – die Rache der Pestbefallenen an fliehenden Kaisern, wer sich erinnert – erfaßt mich die uralte Komik, ich beginne zu zucken, ROSIE kichert erst und lacht dann aus vollem Halse und der Zauber wirkt, die Menge öffnet sich, wir ziehen durch das Spiegelspalier geweiteter Augen hindurch, heiter salutierend, fliehende Kaiser.

Im Hotel zahlt HELEN stets nur den Preis, den sie für richtig hält, niemand kann ihren Massen entkommen, sie zerquetscht alle Offensiven wie eine babylonische Schreckensmaschine, läßt Aasfliegen zurück auf Nachtportier-Dramas, Oberkellnern, Taxi-Straßenschlachten.
Bis Helen in Ali Azamis Saft-Swimming-pool ihre Brille verliert, Alie taucht runter, kriegt Rosies Unterleib zwischen die Zähne, schleift sie wie eine tote Ratte im Maul ins Gebüsch, während Simon im Liegestuhl noch lächerliche Luxuspreise aushandelt, sieht Hassan seine Heldenstunde gekommen, zerrt mich am Schwanz aus dem Wasser, würgt mir seinen stinkenden Slip ins Maul, reißt meinen Pimmel herum, als wollte er mir den eigenen Schwanz in den Arsch bohren, da hackt mir schon Hamid von hinten eine splitternde Bierflasche ins Loch, überall BLUT, Helen von 4, 5 unsichtbaren Teufeln zertrampelt, mit gurgelnder Votze, ausgeweideten Brüsten, Rosies erstickte Schreie, von Hassans Horror-Phallus durchsiebt, und Simons abgenagter, gefolterter Schwanz wie eine Statue des Schreckens über den Gärten, ganz Mutterficker – Persien zu diesem mörderischen Fraß versammelt und das seit Jahr-

tausenden aufgespeicherte Milchstraßensperma schießt in einem göttlichen heißen Massaker vom Himmel herab . . . .
Die einzige Möglichkeit, hier zu trampen, ist, Overland-Busse anzuhalten, Roselyn über die Straße verzerrt, Simon mit Geldbeutelgrimassen, ist man einmal im Bus, durch Gepäckstücke und Miniröcke abgesichert, dürfte es dem Fahrer schwerfallen, einen wieder herauszufeuern, er ergibt sich weise, das souveräne, hilflose asiatische Lächeln bricht durch, legt ihn in Fesseln.
Dann wieder die Strahlen der Wüste, Mamma Helen über drei Sitze ausgestreckt wie ein Canyon, Rosie gibt sich ihren gelben Haaren hin, Simon zeichnet unzählige, fliegende Bildchen, aus allen Perspektiven gleichzeitig, zerstörende Linien in schneidender Fahrt, ich bemerke den ersten herben Zug um den Mund, der mich zu einem Vogel machen soll, einem aufsteigenden Wüstenphönix.

Erinnere mich plötzlich so intensiv meiner alten, vertriebenen Freunde, Lothar und Sun, die wirklich Formen des Lebens darstellen, die wirklich einsanken in den Ozean des Lebens, verdeckt von den Gesichtern der anderen, an der Oberfläche wie Papiermasken treibend, diese ganz neue Art der Liebe-Erinnerung wie an Gott, „Man darf sich der Liebe nie in ihrem vollen Maße bewußt werden, es wäre ihr Ende“.

KERMAN

Bekommen ein komfortables Zimmer, ohne Vorhänge allerdings, was sich noch herausstellen wird: als wir nämlich das Licht anknipsen, erhellt sich die Bude wie eine Glaskanzel über den Hof, mit all den Typen draußen, die auf einen gelungenen Abend warten, erfaßt von der universalen Rache der Fernsehteilnehmer, die sich die Augen aus dem Kopf schauen nach dem Super-Ding – andere beziehen Logenplätze auf den Dächern ringsum, richten sich zu immer neuen Gebeten auf, um den ganzen Sex bei uns mitzukriegen, findet Roselyn, wie schweigsam ich bin – WHITE CHRISTMAS in schwarzen Schlagzeilen auf Helens sechsfach vergrößertem Arsch. Furcht: versuche zu schlafen und habe die 10 Zigaretten vergessen
zwischen den Fingern, fühle weiches Feuer in den Laken.
Fällt mir ein, hat du je einen Menschen gesehen, der vergeblich zu stöhnen versucht und nur immer jenes fragend klingende, erschreckende HeHe hervorbringt? Dann hast du die Wüste vor dir – und ihre größte Konkurrenz ist das endlos klappernde Auflachen Rosies, wie eine Maschine, wie ein leerer Sarg . . .
„It's quite something" sagte Roselyn so laut, daß wir alle hochfuhren, als wir nachts in unseren Schlafsäcken auf der Wüste lagen, und ihr kurzsichtiger Blick deutet nicht nur zum blassen Mond hinauf: um unsere Schlafsäcke waren sämtliche Männer und Räuber der umliegenden Dörfer versammelt, hatten die Hände in den Taschen und glotzten uns an zum Bersten geil; konnte schon sehen wie alle plötzlich schwupp machten und auf uns draufstürzten wie 15 hinterhältige Römer auf Asterix – da steht Simon, dieser Wahnsinnstyp auf und macht „einen so sauberen, gekonnten, bestialischen Strip" – NO, OH, NO, SIMON! wimmert Rosi – daß die Burschen sich nur noch entsetzt umdrehen können und auf nimmer in die Wüste hinausflitzen.
Der Tote dreht sich noch einmal um und läßt einen Furz aus dem Sarg fahren, und der Pfarrer sagt eben „Im Namen des Vater, des Sohnes und VOR ALLEM des Heiligen Geistes", als ihn der Furz erfaßt und seine Kutte lupft, drauf schaut der Pfarrer bissig zum

Himmel hinauf, fragt: „Muß das sein Herr?“, besinnt sich aber reuig, läßt zärtlich einen Furz aus seinem duftenden Wams in den Himmel hinaufzwitschern, der auf halber Höhe den Furz Gottes trifft und sich in einer UNIO MYSTIKA vereinigt.

ZAHEDAN-Park-HOTEL

Treffe abends auf JAN, barfüßig zurück aus Indien, zu weit getrippt, um wieder abspringen zu können, Mann ohne Schatten, kaputte Leber, von Curry zerfressene Augen – erzählt gleich von seinen Füßen, die hart wie Leder sind und noch nie so geschunden waren und von den unzähligen, herrlichen Kicks, die er hat, wenn das Pflaster brennt – erzählt den ganzen Tag nur Yogi-Klatsch von der Reinheit seiner indischen Freunde, die nun schon acht Jahre stehen und 12 Jahre stehen werden, wie er alles verstanden hat, obwohl er kein Wort Hindu spricht, von der Harmonie zwischen Körper und Geist, vom Dscharrasrauchen für Schiwa „die bleiben immer oben, das hältst du nicht aus“ – findet, daß hier alle wie RUSSEN aussehen . . . . .
Die Berge ziehen Simon an wie Magnete, er, der dreimal am Tag strippt und jeden Abend ein Faß aufmacht, so schnell, daß er kaum auf den Boden kommt, braucht diese Felsenstille wie die tägliche Joint. Durch Schuttabladefriedhöfe, ausgehöhlte Blätter, Skorpionstiche hinauf, der Berg entleert sich im Aufstieg, schieben uns in den Gipfel wie in die Mündung einer Kanone und explodieren zur Sonne – Abstieg in den Abend, schlittern über Eselschädel, ein PEPSIE-Splitter wie ein Smaragd im Spätlicht, Mädchen wie Schattenfiguren hinter gehobenen Schleiern, zurück in die Wände.
Will mich doch dieses Kapitalistenbaby, das auch mal was vom deutschen Fußballwunder gehört hat, am hellen Nachmittag im Parkhotel von Zahedan ver*führen,* spiele also meine alte, wilde Lieblingsrolle, schütte ihm gleich wie empört eine Schüssel Reis ins Gesicht, drücke ihm impulsiv meine brennende Zigarette auf die lüsternen Lippen, lasse mich nach kurzem Handgemenge dann gezähmt und gezüchtigt aufs Bett werfen – und nun die unfehlbare, wogende angelhair-Masche, sein Penis schnappt auf wie ein Klappmesser, dann wieder Kampf, kaum noch wahrnehmbar, kurze satte Magenschläge, unsere Schwänze ballern in stahlharten Duellen aufeinander (Unmöglich, der Kleine ist derart unerfahren, daß er nicht mal weiß, wo er mich ficken soll!) und wie ich eben seinem Ge-

schlechtsknorpel einen neuen begeisterten Karateschlag verpasse und sich sein rosiger Frühlingshintern in reiner Hysterie aufbäumt, überkommt mich plötzlich irrsinnige Lust, ihn selbst zu vögeln, reite ihm meine Rute bis zum Anschlag ins Gesäß, jage ihm tausend Hacken in die Weichen, während meine Hände unten seinen kleinen Onanistenschwanz überraschen und im Triumphzug vor mir her stoßen .....
Erfahre natürlich erst später, daß SIMON (!) vorher 2000 Tuman dafür eingesteckt hatte, für Rosie bekam er nur 1000 – Simple Simon, dieser SEX-PAPST des 19. Jahrhunderts, der seinen riesigen Kondom-Konzernen zwischen Scham & Scheide vorschlägt, die neue Parisermarke „unbefleckte Empfängnis" zu taufen.

IN PAKISTAN

Gute britische Cafés in der Gegend, jeden Mittag gibts Kehlkopfkrebs und bandagierte Hühnchen, am Abend Hämorrhoiden statt Mond, noch mit dem Rotz guter alter Offiziersnutten gewürzt und der Schlachtruf Englands auf allen Speisekarten: KEEP CLEAN! QUETTA besteht aus einem China-Restaurant, einem Shakespeare lesenden Tourist-Guide, und einer Handvoll in aller Not zusammengeraffter Hütten, nicht mehr arabisch, noch nicht indisch, ein vertrauter, in jedem Reiseführer gepriesener, ekliger Geschmack, drei giggelnde Schwule in einer Rikscha, die nur diese winzige, abgeschnittene Straße hinunterfahren kann, von einer superkolonialistischen, elektrischen Bahnhofspolizei beherrscht, die brutal die neue Weltmacht Eisenbahn vertritt, einem furchterregenden, donnernden Dämon, der zweimal täglich die halbe Stadt einstürzen läßt – dazu dieses unwirkliche Laubsägenhotel mit dem Fettfleck von Manager und den undurchsichtigen, kleinen Brunnen in der Mitte, diese dünnen, grausamen Ornamente überall, wie von spitzen Stimmchen ausgestochen – dazu ein versenkbarer Speisesaal – nach jedem Besucher wird abgeriegelt – mit dunklen Spiegeln, verwelkten Blumen, Waschschüsseln, mit soviel Dingen, die gar nicht hineingehören wollen, und hinter all dem Flitter diese feuchten Löcher von Zimmern hinten, von Putzfrauen verpinkelt, die nachts auf den Horrorkoitus lauern, wage Roselyn gar nicht anzuschauen, mystische, graue Leiber wuchern über das Bett . . . Sokrates in einem letzten Anlauf: MAN MUSS VOM WEG ABKOMMEN, UM IHN ZU FINDEN, GEDANKEN, PLÄNE, MORGEN VERSCHWINDEN, ZIEHEN ÜBER MIR HINWEG, SICHER TRÄUME VON INDIEN, KATMANDU, JAPAN VIELLEICHT, ABER NICHT MEHR WIE FRÜHER DIE LETZTE ÖLUNG ODER SO, EINE NAHE PROZESSION AUF MEINEN KÖRPER ZU, JA, TATEN NEHMEN IM NICHTS EINE EIGENARTIGE GESTALT AN, KAUM BEGANGEN, GLEITEN SIE AB IN DEN SOG DER LEERE (hektisches Lachen aus der Menge) UND SIND DOCH IMMER DA, GLEICHZEITIG VERFÜHRBAR, äh: VERFÜGBAR?

ROTIEREND WIE EIN KREISEL, EIN ELEKTRONENSYSTEM, DAS SICH NIE ÄNDERT (Einstein wiehert) UND NOCH JAHRHUNDERTE VERGEHEN, BIS WIR ES WISSEN.
Stichwort: das rote Taschentuch, das müßte ja kommen: ein fickriger Bursche, der mal n paar Semester in München studiert haben will (sieht eher so aus, als ob er dort mit Schwung einen sechswöchigen Animier-Kurs absolviert hätte), lädt uns zu einer „Spritztour in die Wüste" ein, haben diese ganz üble Leier schon so oft durchschaut und kommen trotzdem ohne zu überlegen mit, fast zu überschwenglich, wie jener alte Trapper noch kurz auflacht, als es ihn endlich erwischt hat – der Bursche reibt sich die Hände, schleppt noch zwei finstere Gestalten an, 220er Mercedes, läßt Whisky auftanken und schon trägt uns das Autoradio energisch in die Wüste hinaus. Parkt mitten in einem Sandhaufen, die Kerle springen heraus „bißchen tanzen ja" reißen die beiden Zähne wie verrückt aus den Sitzen, Simon und ich lächeln uns zu wie zwei orientalische Weise, höre eben noch, wie der Student „I want to fuck you" schreit und Rosie, das schöne Kind, einen unterdrückten Hilfeschrei losläßt – ich (etwas enttäuscht, daß er nicht MICH ficken wollte) rapple raus, der Student sieht die Gefahr, läßt Rosie sausen, springt mich von hinten an, ich wirble herum, sehe für einen Augenblick in die häßliche Mündung seiner Augen, dann haut mir der andere eine Whiskyflasche über den Schädel, dann nichts mehr – bis ich eine Ladung COCA-COLA ins Gesicht kriege, die eigentlich für Simon bestimmt war, der den mörderischen Apparat eben noch abfangen konnte – nur mit Helen hatten sie nicht gerechnet, sehe, wie sie zwei pakistanische Böcke, die noch nie so ne Urfrau gesehen haben, halb bewußtlos vor Geilheit, kurz und klein schlägt; Rosie flieht mit zerrissenem BH durch den Sand, da knackt dieses AAS, zu allem entschlossen, nach Londoner Rocker-Manier eine Whiskyflasche entzwei, schmeißt sie mit irrsinniger Wucht mitten in Rosie hinein, ich renne wie im Traum herzu, kriege das zweite Trumm in die Hüfte, stürze blutend über Rosie –
„Inzwischen sah sich der Chauffeur durch einen neuen K.-o.-Schlag seitens Helens gezwungen, von seinen galanten Absichten (in

Simons naiver späterer Version) abzugehen" – Helen überschaute mit einem Blick die Situation, schnallte den Burschen ans Steuer, ihr unvermeidliches Messer im Nacken, zog den halbtoten Simon mit einem Griff ins Auto, Rosie und ich wälzen uns blutverkrustet, ineinander verschlungen, wie ein altes Kriegsopfer-Plakat aus dem Dreck, fallen in den Wagen, die beiden zurückgelassenen Pakis hämmern noch im Wegfahren verzweifelt gegen die Fenster, bleiben, kleiner werdend, in der Wüste zurück.

SEX ist eine Atombombe, eine wutentbrannte Herausforderung Gottes, Millionen phallischer Kirchtürme in allen entarteten Architekturen der Welt gegen den Himmel gerichtet – und dann wieder (o diese Geste) SEX reduziert zu jenem glitschigen, schwarzen Fleischberg von Eingeborenen, von Tarzan mit einem Hieb gefällt, das Urbild meiner Kindheit, und dazu die exakte Beschreibung des Lustmords von unserem damals 7jährigen Bandenführer: „er zuckt noch und drückt ab" YEAH!

SOS

An alle einfachen Angestellten, die Abend für Abend zu ihrem Frankfurter Würstchen sagen: „Meiner war damals mindestens zweimal so groß",
an alle auf Cowboy getrimmten US-Präsidenten,
an alle onanierenden Friseure und Bischöfe,
an alle eifersüchtigen, vom Soul-Fieber erfaßten Hausfrauen,
an alle keuschen Generaldirektoren, die in Wirklichkeit noch nie ihre Sekretärin gefickt haben,
an alle machthungrigen Schriftsteller, die die Diktatur des ewigen Substantivs aufrichten wollen,
an alle Bob Dylans, die sich endlich, endlich zu HANS MOSER bekennen,
an alle 238 Stellungen des schwedischen SEX-MENÜS,
an alle überzüchteten Busen Hollywoods:

BLEIBT *MIR TREU!*

BAD LANDS

Fieber:
Der schlafende Tod – endlose Überholduelle auf einsamer Straße – banale Sätze, hundertmal hin- und hergewendet, unheimlich klar, unentrinnbar wie Mordanklagen – ansteigende Luftblasen im Raum: Die Sprache der Zukunft – sich wie ein Penis erhärtender Verdacht ...

– Sehe Wolfgang, den skrupellosesten Verbrecher meiner Laufbahn, nach einem geschmacklosen Broadway-Film mit verweinten Augen ein neues Leben beginnen

– Sehe SIMON, 80jährig, mit einem Staubwedel gedankenverloren Mamma Helens weißen Körper abstauben

– Sehe Hassan, von einer unendlichen Ejakulation fortgerissen, auf seinem Schwanz durchs Weltall fahren.

KARACHI EXPRESS

Wäre glatter Selbstmord, noch weiter mit den beiden Zähnen hausieren zu gehen, Rosie muß ins Bahnhofshospital, Mamma Helen säuft 50 PEPSI-COLAS am Tag, die ist sowieso nicht mehr zu retten „Rosie, mein Liebling", werde ich mit einem Breitwand-Stereo-Lächeln sagen, „kau mir noch einen ab, bevor du gehst" . . . .
Am späten Nachmittag besteigen Simon und ich den Karachi Express.
THE BEAT GOES ON.
Nacht der Träume: wieder in der Heimat, steige ich aus dem Bus, spüre den Triumph, wie ich ihnen mein Mädchen zeigen kann, das ich mitgebracht habe, Kathy, nein Rosalyn, Export aus Amerika, meine Eltern in der Menge (eigentlich nur mein Vater, daneben ein Schatten: meine heißgeliebte Mutter) Rosalyn ist wunderbar heute, mit wehenden Haaren, halte ihre kleine Hand ganz fest, denke plötzlich erschrocken an ihre Augen, niemand würde es verstehen, alle würden glauben sie schielt – ob sie es merken? Da bin ich schon vor ihnen, und sie rennt auf sie los, verdreht zur Begrüßung die Augen wie gekonnt die das macht, und da sehe ich, es sind gar nicht ihre Augen, es sind Simons Augen, und es ist auch Simon, der da in hohen Schuhen, Nerz und Unterhosen durch die Straßen tanzt und ich bin beruhigt, die Vorstellung ist gelungen, mein Mädchen ist okay, da schießt mir durch den Kopf, er ist ja gar kein Mädchen, ein Junge, aber wir sind doch ein Paar, bin dann etwa ich . . .?
Ficken, als Schulfach aufgenommen, als praktische Entfaltung der Algebra, habe immer jämmerlich Angst, mein Kondom zu vergessen und mir dadurch die Note zu versauen –
Überqueren die Wüste SIND, den heißesten Punkt der Welt, im Luxusabteil mit dreifacher Klima-Anlage, Bett, Wohnklo & allen Schikanen (die einzige Katastrophe, daß irgendein Idiot, wahrscheinlich ich, im WC den Deckel aufließ, so daß sich das ganze Klo in Sekunden in eine Wanderdüne verwandelte. Das Ding lauerte die ganze Nacht hinter der Tür und überraschte uns morgens zusammen

mit Simon, dem eine Morgendusche aus Sand nun doch zuviel war)
Willie singt Hillbillie. Aber wo?
Während der militante Drummer der SUPER COSMIC CHAOS BAND bei einem Love-In mit Präsidenten-Schwiegermüttern sagt: „Den letzten Song möchte ich auf ihren Köpfen trommeln und mit einem einzigen Schlag ihr Gehirnbecken zertrümmern", trompetet der Präsident in einem Anflug von Belustigung „Man kann doch nicht von jedem verlangen, daß er mit einer Hand das ganze Weltall umspannt hält. Von einem Amputierten vielleicht . . ."
„. . . erinnerst du dich noch an dieses alte Spaghetti-Shop in Istanbul? Das war vielleicht ne Scheune, Mann! Die hatten den Plattenspieler unterm Ofen. Und der alte Stinker haut oben nen Schuß Ketchup in die Mühle und die ganze Soße geht über die Platte runter. Ne Musik war das, so richtig *soft* . . ." sehe ich doch mitten in der afghanischen Wüste diesen verdammten Amerikaner sitzen, mutterseelenallein, stell dir vor, „was machstn da, Schwester", frag ich ihn und weißt du was er sagt? „Ich jage Afghane, Mann, blaue Afghane . . ."
Simon redet und redet und ich komm nur ab und zu mit je . . . je . . . – die Erinnerungen aller Menschen aller Länder kreuzen sich in einem Punkt! *FLASH!* „Gib mir doch eine Yeni Harman aus früheren Zeiten", Sätze wie mit einem Hufeisen in meine Stirn eingebrannt, jedes Wort wirft lange Schatten über die Erde, sehe Wolfgangs Faust wie einen neuen Planeten vor mir . . . . .
Das Messer zuckt – er schaut in den Spiegel – Wasserblasen von unten – Der Mörder im Schaufenster erkannt – eine Ewigkeit zuschlagende Tür – Der Blinde tritt ein – Kreuzung von Polyp und Superplayboy – schwingt seine Lackschuhe aufs Bett „Nenn mich doch einfach Mike" – ihre Augenwimpern auf Blindflug – der Verbrecher unter dem Mikroskop eines östlichen Spielfilms „riecht nach Agent" – „schenk ich dir zum Nachtisch" – der Sex-Gag des Super-Playboys: die Bandscheiben, das kippt sogar Doris Day aus ihrer OBEN OHNE-Rolle – unter der Hypnose des Mörders – die Münder reden hart auf sich ein – die Telefonzellen der getrennten Liebenden fliegen durchs All zusammen – „Guten Appetit,

MISTER" – Rio bei Nacht – meine Rosenkönigin – „Mmm, wie sie das sagen können – nichts als Worte – Sekunden, in denen die Gestalt des Playboys in eine widerliche, schleichende FBI-Ratte zusammensinkt – der Schein der Taschenlampe – glitzernde Gesichter, der Schatten einer Tür, auf die Leiche zustrebende Musik – DA! – der Boss im Geldschrank erhängt – JOE FINGER mit dem Ohr am Safeschloß, irren Zahlen hingegeben, der Professor stürzt sich in die Regale seines Labors, stöhnende Chinesen Fallen von den Wänden – der französische Mode-Zar als graue Eminenz mit einem Riechfläschchen im Hintergrund – wie ihre Hand seinen Verband zustreicht – wie in diesem Western von Hawks – „alles hat was zu bedeuten, SÜSSE . . ."

2. Akt: gepflegter Umgang mit Mördern am Strand – „schon so früh Champagner? " – „mit dieser Flüssigkeit putze ich mir morgens die Zähne" – plötzlich Rückblende ins Hauptquartier: dreißiger Jahre – „Sie meinen Hautkontakt, ja? " – „Können Sie mir dieses hübsche Spielzeug mal pumpen? " – verängstigte Blicke durchs Fernrohr – eine Welt von Sommersprossen, Küsse im Auto . . . „kenne nen Calypso-Schuppen in der Gegend, so nen verträumten Anheizer . . ." – der Tod, der Augenblick, in dem alle den Fernseher ausknipsen und der Welt des Films entgleiten und Gott hält ihnen ein großes weißes Papier vor die Augen und die Worte darauf erst nach Jahrhunderten zu entziffern, von dem einen schneller, von dem anderen langsamer, von manchen nie . . .
Ich möchte die Samtstimme von PERCY SLEDGE im gelben Mondlicht hören, ich möchte, daß dies nur für ein GIRL bestimmt ist, nur dieser eine Song – die greise Meute der Soul-Sänger hastet im Charlie-Chaplin-Stil durch die Olympiade von Helsinki – dann die Stimme von WILD THING, fällt in einem Nebel über die Ballnacht, wie sich auf dem größten Hofball der österreichischen Donaumonarchie der Kaiser mitten unterm Walzer aufs Klo schleicht und draußen die österreichischen Jungrocker schon die neueste ELVIS-Schaffe vom Gaspedal heulen – rauschende Parties der 50er Jahre in jungle style, wippende Pfauenfedern, das Krei-

schen der Mädchen-Fans auf den Straßen, Stars in umzingelten Hotels, Hitchcocks Vögel von oben zustürzend – der Baß von Jack Bruce schleift durch die Jahrhunderte, alles niederwälzend, treibt die Gedanken in der hintersten Ecke der Metropolis zusammen – 1650 nach Chr. Trompeten platzen bei der Parade, der König hüpft auf einem Bein übern Tisch, die Prinzessin im Nachttopf ertränkt, die schwarze Köchin schaut wie verwandelt aus 100 Hollywoodfilmen auf, versteh plötzlich ARETHA, wie sie „Respect" singen kann, nach Atem ringend, um sich vor GARY COOPER zu retten, &: wie DIANA ROSS aus ihrer Soul-Küche herausschimpft . . .
. . . denke an mein Mädchen zu Hause, mit erstarrtem Gesicht, wie sie sich übers Telefon beugt und ihr mein seltsames Kompliment einfällt, wie aus einem dunklen Traum, das makellose Schwarz des Telefons steigt in ihr auf, während sie die ersten Worte flüstert „WAS IST . .? " und wie sie sich mit einem Anflug von Mütterlichkeit, vor der ihr selbst graust, zurücklehnt, mit hochgezogenen Augenbrauen in den Hörer starrt, nicht wissend wie ihr ist, sinkt der Hörer in ihren Schoß – brutale Rufe aus dem Parkett „Soll sich doch mit dem Telefonhörer einen abgeilen" – Tränen, wie ein ergrauter Ballettänzer über seine Liebe fällt – und mit seinen Tränen ihre Schminke abwischt, wie wenn sie sich die Ohren zuhalten und schreien wollte und von ihrem eigenen Schrei getroffen, in Ohnmacht fällt – und als sie nach Stunden wieder den Hörer aufnimmt, dringen tausend Stimmen in ihre Kammer, liebevolle, gehässige Stimmen, aus ihrer Erinnerung ausgebrochen, sie rennt mit brennenden Kleidern davon . . .
. . . wenn ich sie bloß retten könnte, wenn ich ihr bloß sagen könnte, wie schön sie ist und daß sie nur schön zu sein braucht für mich . . .
Singh nimmt einen paradiesischen Zug aus der Chilum, vom Rauch fortgetragen auf den Mount Everest, 1001 Nacht in einem Fischernetz von Farben zurücklassend, der Augenblick, wenn alle Schriftgelehrten des Mittelalters von der Flamme ihrer Studierkerze verbrannt wurden und als Weihrauch in den Himmel flatterten, von gähnenden Psalmen im Morgenrock empfangen, die Stimme Gottes

auf Tonband, die Engel beim Friseur . . .
. . . findest du Gott, eine Pfeife im Mund und einem seltsamen Parfüm vom Sofa herabwinken und erstarrst . . .
. . . unter einem Vulkan von Liebesbriefen, von Umarmungen wie von Kraken umschlungen, unfähig erstickt in einer Welt
zurück zu dir, hörst du noch zu? Mit zerbissenen Fingernägeln, in deinen Telefonhörer verkrampft, der Teenagergeneration von „Dr. Braun's Herzensecke" nachtrauernd, während PERRY RHODAN schon durch den Wega-Sektor tobt und der Sonne „FRÖHLICHE WEIHNACHTEN" wünscht, während Abraham Lincoln, LINCOLN rauchend, in der Oper sitzt und dem Klang der Pauke schon die Schritte des Mörders zu entnehmen glaubt, während James Bond das Sekt-Glas vom Nachttisch stößt, während Buddha seine Katze streichelt, während der Goldgräber, gegen den Wind gelehnt, sich eine Zigarette anzündet, während im afrikanischen Busch die Busen tanzen – sagt JANIK: „Rauchen wir noch einen Sufi", so mild, so weich, wie ein Vollschaumwaschmittel.
Simon ist längst schon gegangen. Über mir der Himmel Indiens. Rückkehr in die Regenzeit vor 1000 Jahren, Singh geht mit wehendem Lungi durch eine kleine, nasse Gasse und stößt diese uralte Tür auf, der Moment, wenn MOTHER INDIA die Erde küßt und aus den Krümeln ein dreistündiges Filmparadies hervorbricht, in süchtigen Farben und das Kino von Benares mit seinen zerfetzten Polsterstühlen einem rasenden Raumschiff gleicht, Flammen durch die Leinwand schlagen und sich alles in panischer Angst niederwirft und dann die Freude, das Lächeln der Kinder, die von nichts mehr wissen, und die Menge erwacht aus tiefer Betäubung wie ein Sturm.

STRAHLEN

Sende nach allen Seiten Strahlen aus wie ein Transistor, ein Zitteraal, eine wehende Aura um alle Dinge, die Spitzen der Auras sausen in den Weltraum hoch, ein gigantisches Spinnennetz von Auras, die Fenster schlagen ihre Augen auf, schwarze Hände wie Krähen in den Lüften, die untergehende Sonne kommt halbkreisförmig auf mich zu wie ein Heiligenschein, der Mann im Mond verneigt sich und stürzt herab, mein Gesicht kommt mir aus der Ewigkeit entgegengeschossen, der geöffnete Mund verharrt vor dem Fenster in unbeschreiblich schöner Gebärde, lächelt mir wissend aus den Winden zu, von jenseits umflossen, jedes Gesicht nur ein winziges Äderchen im Riesenauge der Nacht . . .

SOUNDS

Buddha hebt den Vorhang seiner Aura hoch und fliegt von den Stimmen der Völker getragen, unter seinen Feigenbaum zurück: hier werde ich bleiben – uralte Tibetaner grunzen sich verständnisvoll zu. Der Morgen kommt wie ein langer Ton die Berge herauf, Prozessionen klettern kerzengerade die steilsten Hänge hinan, Zinnsoldaten aus meiner Kindheit klappern um mich herum der Nußknacker reißt sein Doktor-Maul auf & hält eine überdeutliche Ansprache, die Zinnsoldaten zerlaufen vor Angst, wanken mit hängenden Schultern über ihr Revier, die Puppen rufen sich immer nur „Mama" zu, der zerrissene Teddybär lächelt aus vielen Wunden, aber da rufen die Trommelwirbel der Spielzeugarmee zum Kampf gegen kosmische Armeen, ein seltsamer Kampf, ausgetragen nur von Tönen, von klirrenden Tönen, von einer fliegenden Untertasse über der Erde entsandt, 10 000 Meter unterm Meer von einem U-Boot aufgefangen, in unheimlicher Gewißheit ..... das Pfeifenstochern, das Zahnbürstenklappern, das Golfballgluckern, das Ping-Pong-Scheppern, das Mensch-ärgere-dich-nicht-Würfeln, alles Rhythmen, die sich plötzlich zusammengerottet in einer langen Schar aus der Familiengruft hervorwälzen, an dir vorüberziehen, und wieder in die Vergangenheit hinaus wandern, wie eine Walt-Disney-Bimmelbahn ... der Mythos Kleopatra in Chören und abgöttischen Pauken über die Leinwand flimmernder Fackeln in diesen Saal der Ringkämpfer hinab, da erhebt sie sich, mit einem jenseitigen Blendax-Weiß um den Mund und läßt ihren schlanken Arm liebevoll auf das Piano von Fats Domino herabgleiten, der mit dem Strohhut winkend und einem feisten, verlegenen Lächeln in die Tasten springt, der kleine, erschossene Pianist von Paris aber dreht sich verstohlen um und eine unsichtbare Musik kommt wie ein Gespenst in den Saal, langsame Runden vollziehend, während kaum hörbar im Wega-Sektor Raumschiffe niedergehen, Schläge, von denen sich mein Gehirn nicht mehr erholt, wer je diesen schrecklichen Walt-Disney-Trick-Film vom Kampf zwischen der Insel des Jazz und der Insel der klassischen Musik gesehen hat, weiß

das, Hochzeit von Klein-Geige und Klein-Saxophon ... das Ende Kleopatras, mörderischer Schwanengesang, den Himmel verzehrende Musik.
Chittagong liegt vor uns wie ein hochgeworfener Traum, wie ein Bild aus Gullivers Reisen, an windigen Tagen geträumt, Schwärme von Vögeln, pfeilschnelle Haiflossen, Hütten auf einem riesigen, über die Erdkugel tropfenden Land, versinkende Mangroven, Flüsse ins Meer ... man kommt in Chittagong gar nicht zu Boden, so ausweglos unsere Situation war, Chittagong war eine grüne Parkfläche, die uns nicht runterließ.

Hört schnell her! Von Ferne ein schwacher BEAT, darüber spielt eine Gitarre eine dünne orientalische Melodie, ja ganz deutlich, türkisch vielleicht persisch und auch dieser unvergleichliche dumpfe drive TATAA TATAA, da geht die Tür auf & wer ist es? der gute alte HOUND DOG ROCK.

GOOD MORNING, INDIA

Der Morgen wie ein Schöpfungsakt, aus Wüste und Nacht wird Licht, Vogelfederbäume, Pelikane, dunkle Menschen wimmeln auf den Bahnsteigen, Einzug in den indischen Kontinent, vom Atem der Wiedergeburten erfaßt, „liegt da wie eine Frau aus weichem Stein", Simon in diesem unvergeßlichen Ton, fliegt ein wie ein Telegramm aus dem Westen, in wenigsten Worten das schönste verschweigend.

„Vielleicht ists gar nicht Indien, vielleicht sind unsere Augen über Nacht indisch geworden und hier zuhause . . ." – „ weiß nicht, weiß nicht", wie man in einem alten Sissi-Film die Prinzeß leichtfüßig die Treppe herabhuschen sieht, schon gar nicht mehr an das eben Ausgestandene denkend.
Bantu-Neger begrüßen sich mit dem Ruf „Lebe", und Schwarzfußindianer lassen die Friedenspfeife fallen, Mike schreit aus der Zukunft „wir fliegen" – – es ist so leicht, sich hinzugeben, dieses Gefühl des Schwebens, der Schwerelosigkeit – jeder kennt es, wenn einen der Schlaf überfällt, wie ein Luftstoß von unten her und wir brauchen uns nur ganz leicht zu machen und forttragen lassen wohin . . . .

Und nun, die Gute-Nacht-Geschichte für alle Simon-Fans:
„War damals in Spanien und nahezu blank. Mietete mir also für meinen letzten Pfennig nen Wagen und fuhr los. War kaum 30 Kilometer gefahren, als mir der Sprit ausging. Zum Glück war ich gerade auf so ner Art Paßhöhe angelangt, ließ also die Karre ausrollen und rauschte in dieses kleine Town hinunter. Was kann ich dafür, daß das Ding vor dem besten Hotel am Platze stehenblieb und nicht mehr weiter wollte. Schnappe mir also meinen Krokodillederkoffer und steige mit einer Wahnsinnsgrandezza aus. Bestelle mir gleich zwei Zimmer mit Bad, exklusives Diner, Tischtelefon und so, außerdem Autowaschen und Volltanken, hänge „nicht stören" vors Loch und widme mich der Malerei. Wie ich am nächsten Morgen in

aller Ruhe verduften will, keine zwei Meter von der Schwingtür entfernt, da geht mein verdammter Krokodillederkoffer auf und meine ganzen schwulen Aktfotos segeln durch die Gegend. Dem Portier muß inzwischen auch was aufgegangen sein, schleicht sich ran und meint „Ist das Ihr ganzes Gepäck, Sir? Wohin gehen Sie denn schon so früh, wenn ich fragen darf? " (Kennst ja die Masche): Klopfe ihm also auf die Schulter und antworte kühl: „Zur Polizei, Mutter! Wo gehts lang? " Das Gesicht hättste sehen sollen: „Polizei? !? Aber wieso . . .? " „Nun, ich habe festgestellt, daß ich kein Geld mehr habe, also gehe ich zur Polizei, Tante!" „Aber Sie haben hier eine Nacht geschlafen, Diner, Frühstück . . ." „Nun hören Sie mal gut zu, Kleiner, gestern abend hatte ich noch 100 Dollar, vielleicht verstehen Sie jetzt!" „Nein, nicht zur Polizei, denken Sie doch an die Umstände", winselte der Bursche jetzt. Und nun der Dreh: „Geht leider nicht", mache ich, „ich habe hier übernachtet und pflege dafür zu bezahlen. Ich möchte die Angelegenheit geregelt wissen. Ich bestehe darauf." „Ach, könnten Sie uns nicht einen Gefallen erweisen? " versetzt er neckisch fast flehend, „vergessen Sie die Sache. Es war uns eine Ehre . . ."
– – – natürlich Simon PLAY IT COOL, Jerry Cotton bohrt mit einem metallischen Klicken seinen steinharten Schwanz in Macks Rücken und schreit: „Hände hoch!"

Genauer gesagt, WOLFGANG war der deutsche Wald (die Schlange brüllt „Eßt mehr Obst" von ihrem Baum herunter, das Pferd von Billy The Kid kriegt Nasenbluten, Rotkehlchen verheeren den Roten Platz, die Blaumeisen pfeifen den neuesten Hit von den Dächern, den Schleiereulen ist alles so schleierhaft, die Reiher kotzen, die Ameisen miauen, die Rohrspatzen zirpen, die Grillen spielen nachts heimlich Basketball, die Schnecken rülpsen, die Rollmöpse zwitschern aus den Dosen, die Kaninchen sitzen vor Kaminchen, die Hunde gackern, die Uhus hören BEE GEES im Wald, der Jäger schnüffelt, der Dackel jodelt, DE GAULLE singt die Mayonnaise (im Wald), die kleinen Füchse pinkeln, das Farnkraut ißt Sauerkraut, dazu fallen klirrend die Blätter herunter, die Wotanseiche

wird 500jährig wieder schwanger, der Schwager entdeckt sonntags eine Leiche im Laub und verliebt sich in sie –
dazu Programmfetzen aus dem bürgerlichen Paradies:

wo die Engel mit ihren Haaren Harfe spielen
wo sogar die Spaghettis zu Lametta werden
wo die Altarkerzen wie Wasserfälle tropfen
wo alle Hämorrhoiden zusammen JUHU schreien
wo jede Durchschnittsnutte von gespenstischer Schönheit umstrahlt ist
wo der Swimming-pool von Wimperntusche schwarz ist
wo alle Betten vom Onanieren goldig sind
wo die Oma vom Sterbebett springt und sich der Reihe nach einem Zulu-Neger einem Maoisten und einem Eskimo zur Vergewaltigung aufdrängt

blicke auf die verängstigten Schlafmittel-Augen der Leute drüben in Europa, die in ihrem Camping-Tal sitzen und auf den Einzug der Gedanken warten, der von hinten kommt wie ein Überfall, sie fahren sich über die Stirn, als ob sie alles abwischen wollten, zuviel Gedanken eingeatmet in dieser Luft, höre die Gedanken förmlich zueinander wispern und zu beiden Ohren herausblinzeln, voller Schadenfreude, mit vorgehaltenen Händen, zuckenden Köpfen . . .
. . . ich bin von allen Wünschen so weit entfernt und doch nicht glücklich, nicht ganz „Wieso sagen Sie mir das jetzt? " fordert eine Stimme mit viel zu großem Kopf, gespreizten Nasenflügeln, BIG BROTHER streckt seinen Zeigefinger vom Plakat herunter und zerquetscht mich wie eine Fliege, die versucht hat, einzuschlafen . . .

Zwei ausgefallene Geschichten für Kinder:

„Kann man durchs Telefon angesteckt werden? ", fragte ängstlich besorgt der kleine Willie, als er zum ersten Mal telefonisch zum Club der Taschen- und Flaschengeister gebeten wurde.

„Nein", machte der Raum, „Nein" machten die Schritte der Fußgänger, das „Nein" der Autos wölbte sich um den Erdball, in irgendeinem winzigen Nest in den Burenstaaten tritt ein hemdsärmliger Frischluftfanatiker aus der Tür und kriegt dieses Nein zwischen die Zähne, sein ganzes Familienglück rollt ihm davon, sein Chef wirft ihn raus, der Filmproduzent hat schon die Rückblende gestohlen, um Enthüllungen zu vermeiden, der erkrankte Papst erkundigt sich telefonisch, ob das NEIN nach 2000 Jahren Christentum immer noch lebt, worauf die italienischen Hafenkommunisten auf ein Stück Papier „Erst recht" kritzeln und, um einen Stein gewickelt, durch sein Fenster werfen, der Leibarzt, um seiner Exzellenz gute Laune besorgt, verschluckt den Stein in einem Anfall lat. Märtyrertums, einer im ganzen Altertum verbreiteten (obszönen) Krankheit, stellt sich so banal raus, daß es Haschisch war, und alle Briefmarkensammler glauben wieder an die Zukunft, die Klatschspalten der Welt atmen auf, nur der Papst sieht seine Show im Eimer, wenn er doch nicht immer gleich das Mauerblümchen spielen würde, seit ihm damals das Kreuz auf den Kopf gefallen ist, als er dieses häßliche „Nein" hörte, durch eine kleine Unachtsamkeit seines Zeremonienmeisters, „nächstesmal Scheed in den Kelch tun", raunt er sich zu, während er noch auf Besserung hofft, während er noch im Bett zu liegen glaubt, obwohl die Daunen schon längst nicht mehr von Wolken zu unterscheiden sind und überhaupt, wo sind denn plötzlich die anderen?

Wo bin ich? Wiedergelandet in einer dampfenden kleinen chinesischen Wäscherei, von anderen chemischen Elementen mit großem Hallo begrüßt, die Buchstaben an den Wänden verschwimmen zu langen Linien, ausgelöscht von der gläsernen Hand Ekkehards, die zuerst aus der Sauna einer Waschmaschine hochkommt. „Wollte meinen weißen Bart nur waschen, da hats mich auch erwischt", sagt Ekkehard in seinem 1000jährigen Kloster-Släng und ein sphärisches Lachen ergießt sich über den Raum, den Hausfrauen ähnlich, die ganz von Sinnen ihre WEISSE Wäsche anstarren, das freche Grinsen einer ganzen Ahnengalerie von Mönchen, Alchimisten und

Chemikern, die auf diesen Augenblick gewartet haben, den Augenblick der *Anerkennung*, die Mönche treten aus ihren Altarbildern hervor und schlüpfen in ihre längst bereitgelegten Panama-Anzüge hinein, um deren Weiß sie der Himmel beneiden könnte, die Dichter hängen ihre Gedichte in die Waschmaschine und zeigen sich kichernd die weißen Blätter, bestenfalls noch als Brautschleier für Märchenhochzeiten zu gebrauchen, *wenn*, ja wenn sie schon früher daran gedacht hätten.

MEDITATION

Die Meditation ist die Hälfte des Lichts, der Tag ist das ganze. („könnte Laotse gesagt haben") Höre nie auf zu reden, deine Zunge wird dick. Öffne deine Augen und laß die große Reklame des Himmels zu Ende gehen. Keine Seele sehnt sich mehr nach dir als deine. Die geheime Offenbarung springt in den Fluß ohne Rauschen und Rieseln. Geheimnisse sind wie gute Menschen, wenn sie erkannt sind. Sie sind um dich, sie lieben dich. Wer jetzt an sein Mädchen denkt, hat alles verstanden. Die kleinste Berührung macht mich scheu und frauenhaft wie ein singendes Reh. Ihre Augen blicken mich an wie versunkene Städte. Ich möchte meinen Schwanz genau zwischen die Dunkelheit ihrer Augen stoßen, in einem Koitus, der sich öffnet zum Licht. Marilyn Monroe beugt ihren Kopf von der Leinwand herab, um einem sehnsüchtigen Jungen in der ersten Reihe einen Kuß hinzuhauchen. Filme verwandeln sich in schwerelose Stunden des Glücks. Mein Stil stirbt an Armut. Das klare Bewußtsein kommt von einem Nervenzusammenbruch in der 52. Straße her, auf sein neues Opfer zu.

SALVATION ARMY HEADQUARTERS KARACHI

„Wer den Herrn sehen will gehen auf dem See, der setze sich in sein Boot und fahre hinaus.“

so ein kleiner Zug am Ende der Joint noch, der einem richtig den Hut lupft – torkeln in Karachi aus dem Zug (am Ende der Joint), wie zwei spanische Stiere, die aus dem dunklen Schuppen plötzlich in das blendende Licht der Arena stampfen: glitzernde Degen überall, Tempelkuppen wie durchsichtige Quallengespinste in der Sonne, auf- und niederschwebend, John, der Neuseeländer, kommt wie ein angeschwemmter Schiffsmast auf uns zu, schreit: Schaut euch doch um, Leute! Seht ihr denn nichts? und dann mit dunkler, westlicher, fremder Resümee-Stimme: „Everybody here is a groove for himself“ ein Satz, mit Feiertagsmiene sofort in alle 4 Wände gehangen, am Weltnationaltag der Brüderlichkeit. John zieht sein Gesicht hoch wie ein Segelflugzeug, das war es, er war ein geschmeidiger, intellektueller Bastler, ein Bastler des Glücks, ein Bastel-Hippie.
Ich meine, er hatte an seiner Weltanschauung, seinem Glücksempfinden *gebastelt*, mit solider handwerklicher Schweizer-Kuckucks-Uhren-Präzision, und jetzt sehe ich den positiven Sinn – er konnte sich hinwegsetzen wie ein Segelflugzeug, so leicht, daß allen Kritikern die Luft wegblieb.
Und der andere John, den ich liebte? Der immer nur für kurze Zeit aus seinen Augen schaute, war der John, der Urwüchsige (wie ein friedlicher King-Kong) plötzlich aus dem DSCHUNGEL DER SPRACHE AUFERSTANDEN. MIT SIMON
im Hintergrund, der das Schwert seiner intellektuellen Siege schliff: die geistreiche Konversation. Seine Beziehung zu anderen bestand rein aus Wortduellen, schnellen, unverbindlichen Schlagabtauschen, dann zog man den Hut, strich den Schnurrbart zurecht und ging, nicht ohne sich natürlich Simons geistige Überlegenheit bewußt zu machen, geschätzt zu wissen, vergewissert zu haben. „Wo bin ich hier schon wieder gelandet?“ schreit die Hausfrau in mir und

schlägt die Hände über dem Kopf zusammen. Bei Simons Auftritten. Ein beliebtes Thema, meine Herren. „Ich hatte mich lange gefragt", begann meine gelehrten Memoiren, meine Kopfkissen-Geständnisse von Simon und mir, „wie ich mich zu Simons Auftritten verhalten sollte (das ist sehr sanft ausgedrückt), einerseits waren sie durchaus als HIP anerkannt, andererseits verabscheute ich sie zunehmend. Kurz gesagt, es war mir peinlich! Hätte die Haufrau in mir geschrien und die Exposition des Dramas wäre zuende gewesen. Die Lösung des Dramas ist die Sache der Politiker (das „Stammtisch-Blatt" vom Club der Großmäuler). Oder die Sache der Aristokraten, war nicht seine Lieblingsrolle die der Hofnarren des 16. Jhs., des „Falstaff" (wer es nicht wissen sollte), hebt eine kühne Feuilleton-Passage an, die zur Verherrlichung Simons, des Ballettänzers, man höre und staune, aufruft. „Und wirklich", wie die dunkle, Kitsch-völlig-ausscheidende Stimme einer nordischen Märchenerzählerin weiterfährt: „er war in Wahrheit nur ein von einem fremden König entsandter Ballettänzer, der allen Kindern im Lande der Traurigkeit Freude bereiten sollte." John und ich, die Kinder des industriellen Rock-Zeitalters waren zugleich fasziniert und angewidert von der Sicherheit seines Ballettanzes, seiner Schauspielerkunst. Nur manchmal, wenn er kurz innehielt, und sich über die Gelungenheit seiner Vorführung ein kleines egoistisches Lachen nicht verkneifen konnte, sahen wir, wie schwach er eigentlich war. Wie sehr er Angst hatte vor dem Altern, vor dem Nachlassen seiner Spielermuskeln. Ich liebte John, und Simon spielte den Geliebten. Kann man sich eine größere Frechheit vorstellen? Simon kam mit mir an wie ein Ehepaar, in dem nach der Hochzeitsnacht nur noch der Mann (und der glaubte er zu sein) regiert. Er präsentierte mich als seine Eroberung. Und John, dieser fliegende, andere John, mit dem ich nur wenige Minuten eigentlich zusammen war so scheu war er –, fiel es gar nicht ein, um mich zu werben. Vielleicht ist die erotische Spannung dieser Abschweifung historisch unrichtig, aber ich wiegte mich heimlich in dieser Rolle, und belohnte John durch schrittweises Näherkommen der beiden Helden an der Theke des Saloons entlang. Es geschah, als John und ich uns plötzlich erwachsen gegenüberstanden, und alle kindliche Phantasie und Eifersucht von uns abfielen. Es geschah in dem Augenblick, als John mir TRIXI vorstellte; ich wußte in diesem Augenblick, daß ihm Simons Auftritte ein Greuel waren. Trixi war für uns eine Quelle des Glücks, eine Zuflucht vor Simon, der unsere ganze sexuelle Lust durch Zauberei auf sich vereinigt hatte. Das gebückte Eintreten in Trixis Zimmer war eine Einladung in die innerste Zelle des Herzens. Trixi gelang es, die 4 nach Sex ausgehungerten Jungen, Janik, die beiden Johns und mich Akk. auf vollkommen ungeschlechtliche Art zu befriedigen, dadurch, daß sie einfach ein Mädchen war. Sie schaute uns der Reihe nach an, und jeder glaubte, sie würde sich – wenn sie nicht schon mit Janik gehe – im nächsten Augenblick in ihn verlieben. Jeder glaubte, daß sie auf irgendeine Weise an ihm angebissen hätte. Ich machte die Bemerkung, daß ich früher Matrose gewesen sei und sie schaute mich an, als ob sie mir sagen wollte, ganz verstohlen, „ich habe auf dich gewartet“. Ich glaube, daß meine Verachtung vor Simon in dem Maße stieg, wie meine Achtung vor Trixi zunahm. Und selbst, wenn ich diesen Vergleich nach 50 Jahren auf ihren Grabstein gesetzt hätte, hätte Trixi mich ausgelacht. Trixi ist das einzige Mädchen, das bei einer Shit-Fete das Paar-System völlig aufheben konnte; ich habe Trixi später in Istanbul unter ganz anderen Umständen getroffen. Wir liebten uns, liefen von Kneipe zu Kneipe, dachten uns immer neue Getränke aus, ich weiß auch noch den Anfang: als wir über den Cumhürriyet rannten, ergriff sie meine Hand, um mich vor den Autos zu beschützen.

Einer himmlischen Eingebung folgend, schäle ich jetzt eine Orange; ich bitte den Leser, wenn möglich jetzt auch eine Orange zu schälen. „Ich will damit sagen“, sagte der untadelige Manager der Heilsarmee (wo wir abgestiegen waren), als er uns die Rechnung aushändigte, „daß ich in meinem Leben noch nie über den Rand des Pißbeckens geschifft habe.“ Er war die geborene Hochfinanz der Religion, die genau wußte, daß Religionen nur eine Kapitalanlage waren, und nur zugunsten des Geldes immer geschwiegen hatten. Ich will damit nur sagen, daß ich einen Horror vor Leuten habe, die sich als Manager der Heilsarmee aufspielen und für diese armseelige Unterkunft (in Wirklichkeit war sie einmalig) noch Geld verlangen. Habt ihr eure Orange schon geschält? Ihr braucht nicht auf größere Erkenntnisse beim Schälen von Orangen hoffen, das Wichtigste ist das ESSEN.

JOHN

Sunday Afternoon Melbourne 68

Rain on window,
Music on air,
Mind on low.
Without writing for about two months
we have left a blank of things and
Melbourne is nothing –

Bring to ground clouds of frozen silver with honey –
suckle and cinnamon –
Wander through the lilies of ginger
and blue
Of candy bar and sugar cubes, dream
with children,
Wisdom their heritage –
dreams their existence.
without people existence for me
becomes futile,
I am living within, a
total sell-out as I should be else-why.

Clouds of internalism shroud
any idea.

Involvement with another,
impossible till reawakening
Personal renaissance wanders
about with hands in pockets
Inability kicks communication
carelessly.

In jeans and tee shirt involvement
attends a cocktail party –
Freedom shakes a badly head, but hair
will not abandonly fly.

Hypocrisy arrives at the
party uninvited –.

copyright by John Quellins

und hier diese wunderschöne, einfache Liebeserklärung:

for Heinrich in Karachi

CLIFTON BEACH

Wellen schlagen uns wie zehnköpfige Schlangen entgegen. Das Meer braust wie ein riesiges, unfaßbares Erobererschiff heran. Wir reißen den ganzen Mut zusammen und stürzen uns in die Seeschlacht, zu viert auf dem großen fliegenden Pferd einer Woge –

Der alte Fischer am Strand stößt die schlimmsten Verwünschungen gegen uns aus, weil er glaubt, wir würden seinen Fang verderben. Die ganze Zeit sitzt er halbnackt im Schlamm, wirft seinen Zauberstab in die Luft, beschwört die Meeresgötter, betet und flucht. Als ich an der Reihe bin, unsere Kleider zu bewachen, kommt er plötzlich zu mir her und sagt mit furchterregenden Blicken: „Kommt nicht hierher! Ich bin allein, kein Baby, kein Sohn. Ich bin allein, Gott ist allein!"

PALACE HOTEL

Nie werde ich diese große Séance bei Janik und Trixi vergessen! Fast schon zu spät, um alles aufzuschreiben. Ich wälze mich im Bett, versuche vergeblich, eine geeignete Schreibpose zu finden, ohne mir die Glieder in den dünnen Leib zu stechen. Sehe wahrscheinlich aus wie eines jener gegrillten Hähnchen, die uns tagsüber nicht in den Mund fallen.

Ich kann mich noch an die ersten Wirkungen erinnern, flüchtig, wie zum ersten Mal mein Körper in Schwingung kommt, meine Füße sich bewegen, als würden sie magnetisch den Boden hochziehen, Samtberge hinterlassend, bemerke die Vibrationen von Trixis Händen, als würden sie eine unsichtbare Trommel rühren, sehe deutlich, wie sie jetzt nach unten greift und nach den Bongos ausholt – die Coca-Cola-Flasche hüpft auf dem Tisch, scheint es aber nicht zu schaffen, loszukommen (ich versuche, mir das zu erklären, elektronisch). Jan ist wirklich der Ewige Jude; der Rauch, sein Sausebart, schlägt uns um die Ohren, seine spitze Nase girrt auf, wie vorsichtig er anfängt, zu reden und dann entpuppt er sich als der größte Volksredner, den ich je gesehen habe. Seine holländische Stimme wird immer magischer, er sagt: *Ick believe* und schon ist es *Ekbezel* und klingt wie eine gotische Teufelsaustreibung, und wenn er „Airbord" sagt (statt Airport), weißt du genau, daß er im nächsten Augenblick zu „Border" kommen wird, und jedesmal verfehlt er die Pointe, es ist einfach verrückt.

Nachher die Zigaretten, ganz rein, wie Äther, kann mir jetzt auch die Wunderspeise der Israeliten erklären: *Manna* war reiner Äther im Gedanken an Gott (sagte nicht der Bademeister heute: „müßt mal nach Pandschab gehen, Jungs. Wasser schmeckt dort wie Bier!") – Man merkt auch, wenn man wieder zurückkommt, und die Zigaretten langsam wieder zu Tabak werden. Und endlich hat es die Cola-Flasche geschafft. Sie rotiert im Raum wie ein Riesenrad, frei wie ein Satellit. Weiß jetzt auch, wie es funktioniert: *optisch*, durch Strahlung, eine Art Lichthupe –

Sehe John-John in ihre Schatten gehängt, die auf sie herabfedern

wie Punching-Bälle, sehe die Farben, ich, der ich mein Lebtag farbenblind war, sehe die Farben, sehe Trixis Haut erblühen, die Wand sich in Blau-Nacht mischen (Weißer Kaffee, Weiße Weihnacht), reine Farben, wie in nachkolorierten Ansichtskarten. „Der Herr verzeih mir meine Stimme." Ich schäme mich fast, wie ich nach und nach die Gesten meiner Kindheit annehme, wie ich den Kopf zurückschmiege, nein, die Gesten meiner Mutter, meiner guten, aus der Zeitung geschnittenen Mutter.
Ich frage Trixi, wieviel Uhr es ist. Und sie antwortet: „Es ist EINFACH zwei Uhr". Sie ist wie ein Kind aus der industriellen Revolution, das 11 Jahre lang in einer schwarzen Druckerei gearbeitet hat. Sie erzählt mir, wie sie einmal von einem Insekt gestochen wurde, und ihr Bauch so anschwoll, daß sie glaubte, ein Baby zu bekommen. Daß sie nachts, wenn sie aufwacht, überall schwarze Ameisen sieht (ich versuche verzweifelt, ihren Dialekt nachzuahmen): „Habe einmal in ein Haus gewohnt, wo alle Zimmer schmutzig, aber mein Zimmer nicht schmutzig, CLEAN (sie schaut uns so dankbar an, als ihr das Wort eingefallen ist), aber alle kleinen Tiere kommen zu mir, ich weiß nicht, weil ich GUT BLUT habe (und jetzt fängt sie an zu lächeln und sagt:) *little animals come and go.*"
Janik liest aus der Zeitung von Uranium, und sie flüstert: „Was ist das? Heroin?"

Die Pfeife machte uns alle zu Halbwüchsigen, frühreifen Knaben, die ihr erstes Mädchen aussaugen, zärtlich und unheimlich ernst (Simon war nie mit dabei. Er würde auf eine Uhrzeit wie zwei Uhr morgens antworten: Ist das alles?)

GEDULD

Sitzen nun schon seit Tagen im Büro der Schiffahrtsgesellschaft herum, um ein Boot nach Ceylon zu bekommen, unfähig, uns zu bewegen, eingedickt vom Haarspray der Sonne. Manchmal versuche ich mein Gesicht zu einem Lächeln zu formen, was unmöglich ist, es droht zu platzen, reißt in der Mitte ein von oben bis unten. Ich fühle mich wie ausgestorben.
„Wäre viel lieber Bademeister im Hotel Intercontinental und würde den Damen die Brüste abfrottieren mit dem Temperament eines Südländers, wäre viel lieber Barmixer im Cafe India und würde den Verlassenen nicht ein kühles Lächeln schenken! Wäre überhaupt viel lieber eine Seerobbe im nördlichen Grönland und würde mich von meinem eisverkrusteten Schnurrbart kitzeln lassen und der Sonne einen Schneeball ins Gesicht werfen!"
Wolfgang starrt mich an, ungläubig wie ein Steckbrief. Sein Kopf sinkt in den Körper zurück, seine Augen werden zu Hühneraugen, der Schwanz sein Gesicht, surrt wie eine Kaulquappe durch die Gegend, Querschläger aus der Vergangenheit, Schüsse aus dem alten Texas, die 99 Jahre lang von Baum zu Baum sausen, und plötzlich stehe ich dazwischen – gähnende Stille.
Meine in der Sonne leuchtenden, gelben Haare erzeugten bei den Schwulen vom Nelson Square einen wahren Goldrausch.

HOTEL INTERCONTINENTAL

Auf einmal geht Jahon, dieser riesige Neuseeländer ans Schwimmbecken, fummelt seine Hose auf, holt seinen martialischen Robbenfänger-Schwanz heraus und pißt tatsächlich einen märchenhaften grünen Regenbogen ins blaumelierte Bassin. Aber nichts rührt sich über den Bäuchen, kriechende Herzschläge, Gähnen wie die Ausdünstung von Leichen. Simon zeichnete ein Porträt des Hotelmanagers ins Skizzenbuch. Der Manager schaute es eine Sekunde an und seine erste Frage war, warum die Seiten des Skizzenbuchs nicht beziffert waren. Simon, als er sich gefaßt hatte: „Ich habe was gegen Nummern, sie er*innern* mich an Geld“ (aber glaubt Ihr, der Manager hätte diese leise Andeutung verstanden? Er dachte gar nicht daran, zu zahlen).

Es lag mir fern, Simon zu diffamieren. Die folgende kleine Stelle aus seinem Tagebuch, das ich ihm entwendete, versöhnt mich mit allem: „If there was a school for sun-sitters, I would be the first to try the diploma.“

JANIK

„Janik war wie ein kleiner Junge",
in einem Fortsetzungsroman vor dem
Umschwung noch einmal glücklich
lächelnd gesagt.

Jan hat es fertiggebracht, die Geschwindigkeit auf ein Minimum zu reduzieren. Seine Geduld treibt das heroische 20. Jahrhundert an den Rand des Wahnsinns. Wenn er einen Satz spricht, so braucht er ca. 20 Minuten dazu (vorausgesetzt, daß er einen völlig überflüssigen Kugelschreiber findet und die nötigen Beweisstücke und Briefe von seiner Schwester aus Holland) und doch hat man nie den Eindruck, daß er langsam spricht. Man glaubt eher, er drückt sich sehr wohlüberlegt und gewählt aus (obwohl er das jämmerlichste Englisch sprach, klang es wie die Abhandlung eines Universitätsprofessors).
Jeder seiner Sätze beginnt mit: „Aber, ah . . ." Nicht daß dieses „Aber" allmählich geflissentlich überhört würde, im Gegenteil alle Sätze werden ein einziges Aber ein einzigartiger Hohn ohne Antwort, genau wie es immer, wenn er die Pfeife weiterreicht, zuerst so aussieht, als würde er langsam und traurig die Pfeife weglegen, weil der Stoff zuende ist, aber im letzten Moment richtet er sich doch wieder auf und gibt sie DIR.
„Hast du nicht mal Respekt vor den Toten? ", schreie ich Wolfgang an. „Ich habe nicht mal Respekt vor den Lebenden," und sein Lachen gerinnt zu einer grauen Maske der Einsamkeit.
Wie mich Trixi eben so von der Seite ansah, wußte ich, daß ich sie mehr als alles andere in der Welt begehrte. Ich betete darum, sie zu besitzen, ich erlebte den mittelalterlichen Augenblick, in dem ein Gebet in eine Teufelsbeschwörung umschlug. Ich dachte weder an das Mädchen noch an Gott, sondern an mich. Die reinste Teufelsbeschwörung – dazu das satanische Jiddisch des Aktfotografen Sidney Blum, wie er sich in seinem klebrigen Volkswagen in Foggia Italien mitten auf der Autobahn einen abholte „HOST ES SCHO MOL GEHOT MIT N MEIDEL, HE? "

Eine schwangere Heilige, das kann nicht gutgehen.
KABUL war die Stille selbst (wie kann ich das nur sagen), wie vergilbte Erdnußschalen im Moos, so hoch, daß der Boden unter den Füßen schwankt (die eingestürzten Häuser der Hauptstraße), fast schon nicht mehr zu dieser Erde gehörig wie alle Höhenkurorte, von magischem Licht gestellt und gegen den Felsen geworfen, nachmittags, wenn die Hohlspiegel der Parks dich aus dem Geröll der Menge holten, wenn Erdbeerkuchen sich leise mit Schlagsahne mischt . . .
Die Stille, wenn ich das Rauschen in mir höre, verwandelt mich in einen Senkrechtstarter, lande auf meinem Gehirn, die Bodenstation in Aufruhr, jemand drückt auf die Gummipumpe meines Herzens und jagt mir zur Begrüßung eine Blutsäule entgegen entlädt sich in einem knallroten Feuerwerk über dem Kopf . . . der Direktor der Gehirnstation, ein gewisser . . . . , führt mich in sein Gewächshaus, seltsame Gebilde unter der Decke: die Haarwurzeln, sein Hobby, die Gehirnrinde zieht sich zusammen und ejakuliert Millionen von Härchen in den Himmel. Ich komme mir vor wie eine Puppe mit ausgerissenem Haar, mit noch regelmäßigen Einstichen sichtbar – die hinten aufragende Feder der Indianer zum Zeichen der ERLEUCHTUNG.

mir wäre lieber, wenn du mich jetzt allein ließest, wenn du gehen würdest – und SALVO flattert aus dem Zimmer wie ein Engelchen, als hätte er den stillen Vorwurf gar nicht gehört – die Musik fließt mir zu beiden Ohren heraus wie ein Springbrunnen, die Musik bewegt mich, wie der alte Wind ein altes Blatt vor sich hertreibt . . . das Mädchen läßt auf dem Höhepunkt ihrer Grazie eines der beiden Weingläser fallen, die sie mir und ihr gewidmet hatte, ein 75jähriger Shit-Raucher faßt sich seltsam ans Kinn, wenn er seine Liebste mit zwei halbvollen Rotweingläsern entschwinden sieht, der Trip entführt mich auf seltsame Wege (denkt er sich) – ein greller Hauch blendet mich, Flötenmusik fährt wie eine Hand durch mein Haar, etwas (eine Maus?) läuft durch meinen Körper, ein Strahlenbündel, herausgerissene Schaltanlagen „Wir materialisieren uns in einer

Sekunde im Wega-System", schreit PERRY RHODAN und winkend verschwindet er in einem Elektronenblitz – ich verschlucke ein schwarzes Auge, als das Licht angeht (Wenn das Licht angeht, verschlucke ich mein Inneres Auge, genau wie den Shit, wenn die Polizei kommt) Augen wie große Teiche in meinem Skelett, blitzschnelle Visionen des Körpers, nicht des Auges (ich sträube mich verzweifelt gegen die akute Doppeldeutigkeit)

Die Platte MAGIC CARPET RIDE ist wie mein Mädchen. Wir haben uns wochenlang darüber gestritten, ob die Platte von einem Trip oder einem Koitus handelt. Ich übertreibe. Sie hat einfach den Kopf zurückgeworfen und ihr Spiel begonnen. Sie ist der erste Zahn, der beim Koitus vor sich hin summen kann. Ihr Summen und Zwitschern lockt meinen Schwanz an wie die gelbe Flöte eines Schlangenbeschwörers. Unser Fick ist reine Musik. Wenn ich sie beim Stoßen (was für ein Wort) ansehe, liegt sie da wie auf einem anderen Planeten, von weißem Nebel umhüllt, mit verschlungenen Armen und wenn ich jetzt an dieses hoch ausgestoßene, schmerzhafte „Ooh!" denke, das alle Gelüste in einem einzigen Augenblick in sich einsaugt, kann ich auf der Stelle meinen Schwanz weiterschreiben lassen.
Sie tänzelt voller Übermut durch mein Leben. Sie ist frei und leicht wie ein Stern (sie kennt keine Müdigkeit). Selbst wenn sie neben mir schläft, fliegt sie mit mir davon wie ein Vögelchen. Ich möchte kein Wort darüber verlieren, daß wir uns lieben. Ich möchte allein sie beschreiben und verherrlichen. Sie ist ein Wesen von Glas und Wunder, sobald du sie anfaßt, ist sie weich wie Frottee. Wenn ich sie nur mit den Fingerspitzen berühre, ist es eine vollendete Vereinigung, du weißt sogleich, ohne sie bist du nur ein halbes Wesen, ein zerbrechliches, verwundbares, verstörtes, halbes Wesen. Wenn du dich mit ihr vereinigt hast, hat die übrige Welt ihren Dienst getan und kann in den Meeren des Universums versinken. Wenn sie deinem Körper nahe ist, hast du das Gefühl zu leben, oder nur etwas von dem mitzukriegen, was durch alle Adern fließendes Leben ist, das Leben in einer duftenden Wiese, über dem Horizont schwe-

bend, der Flair der Vereinigung, der von ihr ausgeht und die erstarrte Kette deiner Gedanken wie der Tau des Morgens auflöst und im Kosmos verteilt, daß du darauf ziehen kannst wie auf einem fliegenden Teppich. MAGIC CARPET RIDE, da ist sie!

AN BORD DER „OCEAN ENDURANCE"

Endlich eine frische Brise! Endlich ein Sturm! Der Kapitän war wie ein an Land geworfener Blauwal, von seinem eigenen Gewicht erdrückt.

... und abends in den Sternen liegen, zum erstenmal in meinem Leben sehe ich, wie die Sterne ihre Starre verlieren, zu reden beginnen, da steigt ein ganzes Diadem von Lichtern herab und wird schon wieder auf geheimnisvolle Weise hochgezogen, eine göttliche Fischreuse, zuckende Wolkenhaie als Beute. Der GROSSE WAGEN kommt endlich in Fahrt, die Venus funkelt heller als die Sonne durch ihre purpurnen Nebelfächer, ich weiß sofort, daß es Fächer sind, Fächer in den irrsinnigsten Formen und Ornamenten, mit mythologischen Dramen bedruckt, und ich weiß, daß ich irgendwo mit dem Fuß, dem Knöchel vielleicht, eingehängt bin in dieses aufgehende Planetarium in den warmen Vulkan des Universums ...
Hast Du schon mal Wolkenformen gezeichnet? Hier sind ein paar: der Langnasige, der Wolf, der zersägte Drache, ein Mann mit Locke atmet einen Drachen aus, sich ausbreitendes Gesicht mit geschlitzter, züngelnder Zunge, ein Zwerg aus Schneewittchen (die „Schlafmütze"), sich auflösender Kopf mit steigender Nase.
Später aber, als ich betrunken aus der Offizierskabine zurückstolpere, schlagen die Sterne über mir zusammen wie ein Insektenschwarm aus blutroter Hitze.
„Das ist schon besser", flüstert SUN.

Ein alter Liebesbrief

Jetzt sitze ich stundenlang vor dem Papier und weiß nicht, was ich schreiben soll. Ich blicke meinen kleinen Buchstaben nach, wie sie zwischen den Zeilen verschwinden oder in alte auf der Straße treibende Zeitungsblätter hinausschlüpfen, mit winkenden Blättern mir ade sagend, Gunthers aufkommendes Lachen, die Treppe heraufkommend wie ein Vogelflaum, ein ölgetränkter Wattebausch. Lieber Zahn! Ich wollte . . . (Gunther, ah, du wolltest . . .) Wer? Ich? Die Fragezeichen blicken mich an, wie zwei verbogene Ampeln auf dem Plakat „Trunksucht am Steuer“ Was ist das? Gunther, erlöse mich, sag mir, was das ist? bekomme so großes Vertrauen in meine Gedanken, daß sie wie zu pralle Seifenblasen in dem Raum hinausplatzen, alles stampft in mir auf vor Ungeduld, setze mein Adlerkinn zum Senkflug an – Landung – die Tragfläche sägt eine Schneise in den Wald, brennend abstürzende Tragflächen, auf die vor Angst aufgerissenen Münder russischer Bauern herab, in einem Weltfeind-Nr.-1-Film vor dem 2. Weltkrieg, fühle Uniformklappen an den Schultern, vom Produzent in die Rolle eines russischen Geheimagenten zur Zarenzeit gesteckt, die Handschuhe im Aufschlag, ein brünettes Schnauzbärtchen aus Zobelpelz, abends das Wodka-Glas durchs Fenster werfen, in eine sturmdurchtobte Nacht hinaus. He? Gunther war das, ganz sicher – sein Lachen, sein Lachen, genau ein Jahr älter als meines, konnte das an den Schulklassen schon ablesen – (Gähn) „Schreibst Du immer noch Deinen Liebesbrief? “ (Gähn, betont) Danke, Mann, du hast mich erinnert, du haSSt mich wieder auf den Pfad der Tugend gebracht. Ich kann mein Mädchen nirgends sehen. Symbolische Aussage im psychologischen Gutachten anerkannt, symbolische Aussage gleichbedeutend mit GESTÄNDNIS (die urteilsvollstreckende Hand des Richters schon mit einem Sinkenlassen des Monokels in Bewegung gesetzt) „ACTIO= REACTIO“, schreit die Gangster–Welt von Chikago und holt zum vernichtenden Gegenschlag aus . . . . die verkleidete Polizei plötzlich in der Rolle flüchtender Gängster, Ganoven als Bullen maskiert, Verwechslungsserien durch alle Hollywood-Balparés hindurch wie das geschlitzte Kleid von Wie-heißt-sie-doch?

Ich könnte über einen Gedanken verharren, bis das Hauz(!) einstürzt, ich könnte einen Gedanken aussprechen, daß das Haus einstürzt (und das will ich nicht). Ich habe die Kraft dazu, weil ich mich *in diesem Nu* in Schnee verwandelt habe und die Spuren meiner Vorgeschichte auslösche – vom Tauwetter angespülte

Leichen, die Weltpresse zu Tränen gerührt – siehst du die dunklen Flecken auf dem Totenbild, mein Junge, das sind die Tränen des Fotografen – versuche, an diesen Gedanken anzuknüpfen, obwohl soviel passiert ist inzwischen, obwohl inzwischen eine Welt zugrunde ging, ein Fels-Riß im Hochplateau meiner Gedanken, die kleinen, neuen Gedanken tropfen durch den Spalt ins Meer hinab, die anderen rollen wie Schneebällchen den Hang herunter, sich zu einer gewaltigen Lawine zusammenballend, die sich in der Bunten Illustrierten niederschlägt als Skihasen-Anfänger-Witz, meine Grammatik knurrt mich an wie ein altes Gebiß, dem sämtliche Vorderzähne fehlen . . .
„Du hast zuviel geknutscht, Kleiner", sagt in einem Anfall teuflischer Ironie der Trainer zu einem 72jährigen Box-Veteranen, der seit 50 Jahren Ex-Weltmeister ist (Schon die teuflische Ironie dieser Andeutung!) . . . . jeder Gedanke die Kleinszene einer Film-Welle, Wiederbelebungsversuche einer Musical-Tragödie, meine Finger wie Abhörgeräte am Papier, mit roten Saugnäpfen (hätte ich DAS NUR NICHT GESAGT). Die Dämmerung, die den Tag nur noch vortäuscht, erfüllt mich mit verdächtigen Magenschmerzen, Gunther lugt wie ein hakenschlagendes Kaninchen um die Ecke. Ich sollte mich in meine Ecke zurückziehen und mir ein Kissen unter den Arsch klemmen . . . im Jahre 1970 wurde das Monopol des Herrn von Stricker im Schallplattenauflegen durch Herrn von Gunther durchbrochen . . . . Herr von und zu Gunther, Herr ab und zu Willie . . . . beratschlagen, ob wir unsere Purples zu zweit oder zu viert einwerfen sollen (der Konstellation wegen – – das Komiker-Gespann WILLI & HEINRICH gegen das Analytiker-Team GUNTHER & RÜDIGER) . . . . .

Folgt mir nicht weiter! Ein Abgrund, und drunten wimmelt es von Menschen.

DAS KREUZ DES SÜDENS

„Jetzt hocken wir auf dem 20. Breitengrad, nicht? " sagt Wolfgang. Er sieht aus wie eine kranke Zwetschge, die sich nicht mal mehr traut, in sich selbst reinzubeißen. „Nicht mal mehr ein Baum zum Hängen", japst der alte, gemütskranke Western-John-Wayne, „nicht mal mehr eine Bananenschale, um sich das Genick zu brechen" und irgendein humorloser Hilfssheriff bemerkt im Namen aller John F. Kennedy-Anhänger: Nicht mal mehr ein Schaukelstuhl zum *WIPPEN!*
Die Western-Musik erobert die Tiefsee! Quallen-Ballette, Vibraphon auf Korallenriffen, leise tanzende Fischschwärme, von Haien mit väterlichen Fagott-Stimmen aufgesaugt, das Geklapper der Gebeine in versunkenen Wracks: ein Berg von Suppenknochen, die Beach Boys vom Surfing zurück –

ich bin nicht mehr wiederzuerkennen auf dieser Amok-Fahrt durch den Süden, sehe mich als zerbrechliche, halbzersprungene Galionsfigur einer schwarzen Galeere über den Indischen Ozean fliegen, eine spinnenhafte, schwarze Fledermaus, die die Sonne verdunkelt, die Schiffsrachen der KONQUISTADOREN wie schwarze Gespenster über dem Land, mit einem roten Indianerpfeil im Maul –
Fliegende Fische aller Meere und Flüsse und Städte vereinigt Euch! Überschwemmt die Erde, durchkämmt die Bordelle und Wohnzimmer, die geliebten Wahrzeichen der Städte und tragt mir ein Mädchen herbei auf diesen gottverlassenen trostlosen Kahn!
die seidig-sinnliche Schwulen-Stimme SIMONS: „Habe doch tatsächlich gehört, daß da ein weibliches Wesen auf diesem Pott stecken soll. Die Kapitänswitwe womöglich, zweimal so groß wie Indira Gandhi aber lang nicht so dünn, he? Es gibt auf manchen Schiffen wie in manchen Landstrichen eine Rest-Rasse von Frauen, die dir nur um so mehr beweisen, daß es keine Frauen gibt. Dafür glauben die geilen Passagiere natürlich alle, daß ICH der richtige Wochenend-Happen für sie wäre."

WER WOLF WOLFGANG (wie du und ich)

„wenn ich in Chittagong kein Schiff kriege, such ich mir ne Alte und mach in den Busch", sagt Pocken-Face Wolfgang, der Seemann, der uns auf der Ocean Endurance begegnete und fortan mein 3. *MANN* wurde.

War ich doch auf gemeine Weise der ideale Kumpel, den er brauchte, Ich hatte mein Ich so verteilt (manchmal beim Gehen und Sprechen war es als eine Art 3/4 Takt vorhanden zu fühlen), daß es keinen Widerstand bot. Und einzig diesen Niemandsfreund hatte Wolfgang nötig, den er durch ein paar Worte zu seinem Ebenbild machen konnte. So daß er sich in meinen Gesten einen Moment lang sich selbst ansehen, in meinen Erwiderungen die Illusion seiner Seele hören konnte. Seine Sätze waren ängstliche, halb ungläubige Beschwörungsformeln der Wunderlampe seines EGO, die aus meinen aufgeschnappten Redewendungen ihm leuchtete. Unruhig spürt er das Ende des Gesprächs, wie seine Kraft nachläßt, rafft sich hoch, geht aufs Klo und pißt seinen Zigarettenstummel aus. SIMON rennt hilfeschreiend vorbei „WHEREVER YOU GO THEY STICK A RADIO IN YOUR EAR!" Wenn unsere Worte verstrichen sind, fällt Wolfgang zurück auf das weiße Deck seines Leichnams. Und morgen holt er eine neue Packung süßes EGO ab und braucht mehr und mehr.
„Ich mache euch in fünf Minuten Still!" blökt der Käptn.
Nachmittags verwandelt die Sonne den Pott in eine Totengaleere, begreife erst die wahre Bedeutung des „Schattenreichs", wenn alle hellen Flecke, alle Lebenslichter zur Hölle werden, wenn jeder Mast, jede Relingstange mit ihrem schmalen, hauchdünnen Schatten zu einem Rettungskreuz wird. Begreife, daß nicht die bergenden Arme des Dunkels die Hölle ausmachen, sondern die Flucht der Schatten, die aussterbende Rasse der Schatten vor dem Einbruch des GROSSEN LICHTS.
Ein sehr freundlicher, alter Herr aus Chittagong gestern abend mit warmer Stimme über *HITLER:* Ich weiß, um der Menschlichkeit

willen. Er hatte die Macht, die Welt mit einer Hand gefangenzunehmen, aber lieber zerstörte er sich und sein Land, als diese furchtbare Waffe einzusetzen. Oh, er war der größte und einzige Philanthrop, den ich je gekannt habe!

PHANTASIE IST WIRKLICHER ALS REALITÄT – ich habe das hier erlebt, ich werde mir kaum bewußt, daß ich in einem fernen, fremden Land bin, die ungewohnte Umgebung geht mir nicht richtig zu Herzen, so wie man es sich vorstellen würde. Alles ist von der Sonne versiegt, oder besser vom *alten Leben,* von der hautnahen Existenz, wie sie hier auf mich eindringt und die Welt einebnet, als ich noch in Deutschland war, erlaubte es mir meine Phantasie, drei Tage nach Persien zu ziehen und dort wirklich alles mitzukriegen, viel unmittelbarer und konkreter, mit dem harten Aufprall der Fremde, als ich je in Persien selbst gehaust hatte; ähnlich jetzt weit weg von Deutschland, wenn ich überall den Geruch von zuhause schmecke, altvertraute Regenzeichen am Himmel ausmache, unaufdringlich, ganz wie von selbst, Ratten wie Sofamuster ...

... Singh bringt eine Viertel Tola Opium. Bittere, klebrige Arznei. Teerähnlich, legt eine hungrige Erdnußstraße durch mein Land. Strecken uns vor dem Schiwa-Tempelchen aus, megaronhaft und wie ein Teil unseres in den Himmel hereingeplatzten Januskopfes (ist das griech. Megaron nicht das genaue Abbild eines knienden Jungen mit aufgestützten Armen, Murmeln suchend?) Äußerste, statische Ruhe, Frieden, und doch nicht Frieden, weil es diesen Frieden auf Erden nicht gibt. Das genaue Gegenteil von Haschisch, wo alles über die Ufer tritt, hier wie ein entferntes Licht am Horizont der Wasser und schon verweht, Gebäude, Balkone, Menschen fügen sich wie makellose Kulissen um meinen luxuriösen Monolog (durchscheinende tibetische Wachsläden, Glas ersetzend) „Das ist *schliiiimm*" Bäume so leicht wie Nebel, dampfend und qualmig. Ich höre, daß der alte Singh seine Frau wirklich liebt, aus der Ähnlichkeit ihrer Stimmen, die ineinanderfluten und ihre Nimmer-Geld-Gespräche (die Kinder gewöhnlich durch Türritzen mit anhören)

begleiten wie Ave Maria meine schwarze Messe, steigt der Tempel aus seinem Bad im Ganges hervor und sucht wie verrückt die Sonne in der Nacht, die längst ich sehe, in die Spitze meiner Zigarette versunken, wie das Feuer schweigend und streng vermummt am Papier heraufkriecht und in lächerliche Arabesken und Krönchen zerfällt – wo ist denn die Zigarette? Brennt ja mein Finger.
Und der spindeldürre Rudrakscha-Baum im Vorhof schirmt sich in einer verschwenderischen Traube über uns, prall und fein wie der Große Spielzeugbaum mit Affenkätzchen, Kasperln und Laubsägefiguren und den tausend Tieraugenpaaren im Kinderdschungel.
Die Zeit ist unsichtbar. Nach einer Stunde kann es sein, daß der Baum plötzlich um 80 Grad gesunken ist wie der Stand des Ganges. Als hätten sich meine Haare im Rad der Zeit verfangen. Als käme das Kribbeln, das Ameisen-Suchen, Mit-Briefen-übergossen-Werden. Indes aber schlage ich die Augen zurück, um noch mehr sehen zu können, und, als öffnete sich ein Tor und ein Lichtstrahl fiele nach innen, sehe ich die ganze Däumlings-Welt meines Inneren, buntglasierte Leonardi-Ritte, Aufzüge zuerst, rasend wechselnde Bilder, fluoreszierend und wie vom Schein eines durchgebrannten Leuchtturms gestreift, dann alle neuen Länder der Erde, türkische Frauen im Friseurladen gekidnappt, griechisch-indische Frauen gegen ein Felsenufer gestemmt und das Gestein fein wie ein Sari, ein italienischer Kanalarbeiter mit drehbarem Bronzekopf . . .
Nachts wache ich auf, tosender Regen, Singh halb ertrunken in Decken, schläft wie ein Fischlaich tief, schräg gewellte Häuser, wie ihre eigenen Spiegelbilder im Wasser.

. . . . heraus, verschafft ihm ein Image, ein charakterliches Rückgrat. Sein Verhältnis zu Johann und später zu Jeronimus führt bereits ein Paradoxon vor Augen, das weitere Kreise ziehen soll: das negative Auswirken des „Edelmuts", der als Sadismus mißdeutet wird. Flucht ins Irrationale und wieder zurück.
Die Reaktion Ottokars auf Johanns Nachricht hin bleibt aus. Genau in dem Augenblick, als sich bei Ottokar ein Gesinnungswandel oder zumindest Bedenken abzeichnen, kommt Jeronimus, der bis-

herige Sachwalter der Realität, mit geänderter Meinung zurück, was die freundschaftliche Verständigung erneut verhindert.

In den ersten Rauch einziehen. Schweigen (Stuhlreihenrücken, die Séance in der Theaterpause. Gedankenfächer in die Unendlichkeit hinaus, das Licht abdrehen, denn helles Licht mögen die Gespenster der Gedanken nicht.). Dann der zweite Strom, der wie ein Böllerschuß in meinen Leib fährt und mit lautem Knall die Lawine meiner Gedanken auslöst, in das Bergwerk meiner Gedanken *einfahrend* (die Wichtigkeit dieser Bewegung wird mir nie mehr klarwerden), auf verschüttete Stollen treffen, von einem Gedanken durchzuckt und zu Eis erstarrt, die Hände zum Himmel strecken, Rettung in Schauspielergebärden der Oktoberrevolution, der Kampf der Dunklen mit dem Gehirn, das die Kontrolle verliert wie ein reißendes Leck, das verzweifelte Pumpen des Herzens gegen den Einstrom der Wirre, der Krieg des Willens, wie ein zahnloser Raubvogel niederstürzend, auf Zwischen-Worte gestellt und festgehakt, die durch meine Gedanken wie Fahrstühle laufen. Sackstraßen der Erinnerung in blauen Stahlnächten, die vorgehaltene Pistole deines Auges, Bilder erlöschen meine Gedanken, das *reproduzierte* Bild einer Comic-Figur (die höchste Bildkraft meiner Sprache in den einfachsten Sätzen, ein stilles Glück meiner Zwiebel-Geburt, in der Wärme des Bodens: Mutter Natur und ihre Blumenkinder (SAN FRANZISKO), sich sogleich einstellende Zeitungsausschnitte, vom Rattattatt der Druckereien verfolgt wie von einem Drachen, absplitternde Gedanken-Piep-Piep in den stauberfüllten Kosmos des wilden Westens hinaus, die Lösung aller meiner Gedanken in dem zusammengekniffenen Lächeln Jess Harpers, der seine Flinte leert: ich lege neue Patronen in meine Worte, durch symbolische Aussagen den Gedanken umschleichen wie die Katze den heißen Brei (ein ge-mein-er Satz), die Wichtigkeit aller kosmischen Interpunktionen in den Worten, endlich Auflösung in Geschichte (das Aufkommen einer Wand von Substantiven, Titelüberschriften packender Psycho-Thriller über die Leinwand flitzen, in einem Riesen-Aufgebot von Stars meiner Rolle erdrückt werden, Rosenthal Schöps

tanzt auf seinem „*brillianten Stil*“ wie auf einem Trapez, wie ein Gaukelbär, von dem Wissenschaftler Burroughs mit sonntäglicher Bescheidenheit gepriesen, die Über-Höhe meiner Gedanken, der Glöckner von Notre-Dame auf der einen Seite, der zum Tode verurteilte Robbespierre auf der anderen.
Szenen nie verwirklichter Film-Konstellation, Tarzan gegen Sigurd, ein verzweifelter Ruf in eine 15jährige Fußballergruppe am Stadion-Rand, nie die Treppe der Gedanken zurückgehen, du befindest dich mitten im Treppenfeld der Pyramiden von Bizeps (ein kleiner Versprecher, Ausrutschen im Kontrollraum, Szene roter Scham die Finger im Mundwinkel, pfeifen, *schwiiijt,* den Finger lutschen, der abgeschnittene Daumen. Zittergraue Rückflüge in die Struwwelpeter-Welt des 18. Jahrhunderts, die immer größer werdenden Jahreszahlen bis in meinen überquellenden Augenblick herauf, die fetten, zeitlosen Mamas auf den Silvester-Parties, *Paadies,* das verzogene Schmollen einer Amerikanisch-Platte plötzlich im Ohr (jedes Wort von anderen Leuten gesprochen, eine Ansagerliste durch die Personen meiner Bekanntschaft „du gehst *mit einem Neger*“, wahllos eingestandene Beispiele, der Filmregisseur bei der Premiere eintreffend; ich *synchronisiere* meine Stimme = DAS ist die Möglichkeit, die Freiheit meiner Gedanken zu wahren, der im Jahre 1970 ausbrechende Moraliker-Streit in mir, durch die Gemälde des Vatikans geisternd, der Zeilenstrahl, der meine Gedanken aufbaut, ist plötzlich zerrissen, die Nacht des Vergessens, als geschiedene Witwe an meiner Wiege stehend, die trauernde Gefaßtheit des „alten Mütterleins“, ein Schlag mit dem Lesebuch um die Ohren (wer genauso gelitten hat, verstehts; das respektierende Schweigen der Kritiker beim Sonntagsspaziergang, sogleich in ein Bild des *Pointillismus* umgesetzt, die spindeldürre Signatur Salvator-Bräu Dalis darunter, dem eine neue Dimension willkommen ist --- ablehnende Haltung des Propheten, von meinem verführerischen Turteltauben-Stimmchen bedrängt, „*betört, wie ich mir wünschte*“ (das Zu-früh-gefreut-Ätsch aus einer mörderischen Einzelkind-Jugend heraus, das Gefühl, der Schwächste, Kleinste und Dümmste (Verrückteste) von allen zu sein, im Meer wie Flaschenbriefe treibende Gedanken,

nach einer großen Sauferei an Bord über Bord geworfen, ein Walroß klopft mir auf die Schulter, Ringel-Trikot, Bart im Gesicht, der Seemann ist fertig, enttäuschte, verlegene Kinderfaschings, durch die Älter-werden-Jahre hinauf immer verlegener werdend, das Nacheinander-Ablegen des Schnullers, der Bonbons, der sauren Drops, das Mit-dem-Besteck-essen-Können: ich sehe den Schnappschuß meiner Taufe vor mir (der nie geschossen wurde), das gesenkte Lächeln meiner Mutter wie das Schweißtuch der Veronika, nur durch die Waschmaschine gelassen (Zugeständnis an die Technik, HITLER händeringend in seinem Bunker auf und ab, das Auffliegen der Träume in dem Gehirn des Verrückten, der fettige Glanz seiner bayrischen Backen plötzlich, das Auffahren der Scheinwerfer und Abflauen des Eingangs-Chors, in das sinologische Lächeln eines Pavians ausflüchtend, ich kann meine Gedanken nicht *haben,* aber ihnen nachsehen, wie den Fernseher ausknipsen und das Bild von oben nach unten zusammenlaufen sehen, prämittelalterliche Kegelschnitte, die Unfähigkeit meines Kugelschreibers, das Papier *klar* zu durchstoßen, sich-an-den-Kopf-tippen ein Vorwurf? Da fragen Sie noch? ein Schulfilm der bayrischen Verkehrswacht, das Tempo meiner Gedanken macht jede Alltagsfliege zu einer Sternschnuppe, in der Tiefe seines Ich-Bauchs zufrieden sein und entzückt dem Spiel seiner Gedanken darinnen zusehen, sich eines Vergleichs mit Hieronymus Bosch nicht schämen, die mystische Seite des Mönchstums, die graue MICKY-MAUS-Seite zum anderen: die Päpstin Johanna.
Der Geschichte vors Gesicht treten in der Gegenwart, Spruchbänder rattern aus Manifesten, das furchtbare Nachlassen des Willens, der Tyrann der Gedanken, von lieblichen Kindern gesteinigt, Frankenstein (der ZARTESTE aller Geschöpfe, die Lieblichkeit MARY SHELLEYS, wie ich sie mir 15jährig auf einem Buchrücken vorgestellt hatte, die traute Welt ALICES IM WUNDERLAND *trotz* aller Verrücktheiten, das Junk-Buch WILHELM BUSCH, der rasende Pianist, kratze deine Hämorrhoiden, bis du einen kleinen Orgasmus hast, das Raumfahrer-Gefühl des Körpers auf einmal, eine 100-Volt-Spannung im Körper angespannt (lechzen nach einer

Zigarette, Totenkopf in den Theatersaal geworfen, das knabenhafte Schwulen-Lachen des Teufels, die sexuelle Seite von Gott und dem Teufel – auf mittelalterliche Sagen bezogen – die Reinheit der Sprache HUMPHREY BOGARTS als Anwalt einer italienischen Slum-Familie, *Verweise auf,* Abschweifen ins Film-Metier – das Brüchigwerden meiner Gedanken wie Milch über den Teppich laufen sehen, „laufen! sehen!" *(das ist es),* das Geheim-Motto meines Erfolgs, eine Stelle, die sich innerhalb von 2, 3 Jahren in Tragik auflösen *muß*! Die Erfindung des Zelluloid-Streifens war die durchgreifendste Änderung des Menschen. Der Kodex des „Immerwährenden Helden". Nie mehr aus dieser Gedankentreppe zurückkehren, wie Münchhausen durch den freien Himmel klettern an einer Weinrebe aus Nichts, das Anfeuern der Ringrichter im Rekord der Gedanken, zerstreut durch das unschuldige Seufzen des Kindes und dem Gefühl der GÜTE, das sich ausbreitet und keine Farben braucht, weil es die Frische selbst ist (ich beteure, wer das je versteht)

ich greife zur Zigarette
ich erlöse mich vom Schreiben

ein Selbstmörderbrief

Ich weiß jetzt
was ich antworten sollte,
wenn mich Rosenthal Schöps wie Smilowitz fragen sollte:
Rauche Shit und *denke nach*!

Nach der Zigarette (ich muß den Bericht zuende kriegen) ich habe Angst vor der Zigarette, vor dem Morgen, vor dem Verblaßt-Sein, dem Auf-einer-Ebene-Schweben, weil ich jetzt frei bin und oben, weil ich ein Recht auf alles habe, weil WILLIE mich jetzt versteht, wenn ich dieses Buch nur an meine Freunde wende, Karussell meiner Vergangenheit, höre nie auf zu drehen! Neue Badewannengelüste! Neue Heimseligkeiten! Weil ich dieses Buch der Liebe widme *uns allen. Der Zwist der Moraliker wie das Aufblitzen einer Streitaxt in einem Heraldikerwappen!* Jetzt eine Szene wie eine Rückblende: der Rauch kommt von drüben, von WILLIE (dem nördli-

chen Eismeer) herüber wie ein Sturm und treibt meine Gedanken in die Stratosphäre hinauf und jetzt wieder niederschlagen in Salzburger Schnürl-Regen.
.... habe jetzt zurückgelesen und gedacht, wer wird diese Hasenspuren je verfolgen können?

Losgelöste, abgefackte Grammatik! Losgelöste, abgefackte Musterbetonung! aufkeimende Krankheiten, Brustdrücken, das Widerspiel von Kuchen-Essen und Zahnweh, das Dicker-Werden, was in einer Zigarettenlänge mit deinen Gedanken passiert, ist nicht abzusehen, Mut zum Zurückblicken, Mut, keinen Mut zu besitzen.

Mein Liebling,
ich bin sehr weit oben (auf diesem Papier) und deshalb wollte ich Dir schreiben, weil ich Dein Gesicht ans Fenster geschmiegt sehe, weil ich Dich liebe und Dich empfinde. Weil ich Dich neben mir haben will in dem Flugzeug zur Freude. Weil ich weiß, daß zwischen Dir und mir eine Brücke besteht, die alle anderen Menschen dieser Welt ausschließt: *die Liebe.* Weil wir nie erfahren werden, was Liebe ist. Ich werde alle Deine Gedanken in Schutz halten. Ich brauche Dein Dasein wie Junk. Ich habe Dich vorhin angerufen, um Deine aufgeregte Stimme zu hören, die mich verrückt macht nach Dir. Jetzt habe ich Dich bei mir und sehe Dir in die Augen. Das Durchdringen unserer SOULS. Du hast mich erschaffen und ich Dich. Wir müssen zusammenleben, um die Reinheit unserer Bindung zu vollenden. Deshalb bitte ich dich, komm!

Ich knipse ein Hallenhandballturnier ein und kann in einem Augenblick das ganze Spiel durchschauen. Ich kann die Platte verstehen, als ob ich sie selbst gesungen hätte. Ich darf die Jaffa-Orangen lieben! Ich darf einen Beweis meiner Kindlichkeit ablegen! ICH DARF MICH AUSZIEHEN!

die Tiefe der Gedanken nicht mehr ausdrücken können, weil sie sich Worten verfangen, die ihr eigenes (Laut-) Spiel treiben.

NACH 3 TAGEN IN CHITTAGONG – HOFFNUNGSLOS

abends kam ich von der Toilette nicht zurück, stahl mich auf einen Spaziergang – allein (ich hätte zu gerne gesagt, einer Eingebung folgend), es geschah allerdings doch ein Wunder, ein kleines Tag- und Nachtwunder (eines, das mich für ein paar Stunden wieder zur Vernunft und normalen Hoffnung verführte). Es gelang mir nämlich, meine Uhr abzusetzen, für 37 Rupies, ein Vermögen, wenn man bedenkt, daß das Ding fast so alt ist wie ich. Wiederholte die alte Erfahrung, daß Geschäfte am besten blühen, wenn du überhaupt nicht interessiert bist, ich glaube sogar, daß es dem Burschen weniger darum ging, meine Uhr, sondern meine Verkaufs-Lust, diesen kostbaren Feilsch-Orgasmus einzuhandeln. Später merkte ich allerdings, daß mich mehr mit meiner Uhr verband, nicht, weil mein Leben irgend etwas mit Uhren zu tun hatte, wahrscheinlich, weil ich sie einem früheren Kauflustigen mit seltsamen Argumenten (Kommuniongeschenk) ausgeredet hatte, worauf er sie in direkte Beziehung zur Metaphysik brachte und feierlich in Ehren hielt.
Habe wie immer nach einem glänzenden Handel große Lust, alte Poesie zu machen, Novalis vielleicht; mir fällt ein, daß die Äuglein des Alten wie zwei Schweißperlen funkelten, auf die Geldscheine tröpfelten und mit in meine Tasche wanderten.
Es geht nichts über eine Morgenzigarette, barfuß geraucht, noch übernommen von tiefblauen Film-Studio-Nächten, vom Weißmond, aus dem Wolkengebiß gefallen, auf meinen Ameisenkopf (einmal sah ich richtig, wie der Mond aus dem Nebeldunst sich kondensierte, in einem immer größer werdenden Kristalltropfen, der endlich, schwer genug, herabpurzelte).

27. Juni *Milledunabi* (Last Friday in June)

A little boy said: This is the day, when our prophet COME FROM GOD TO WORLD (weiß jetzt auch, wieso ich seit Tagen an Weihnachten denke)

Die Vorbereitungen zum Fest schon in vollem Gange, Korbbinder flicken die Bastmatten; die Kupferkessel werden mit Lehm bestrichen; Zwiebel, Kürbisse, Knoblauch, Senfgurken (*dös is Maniok,* schwört WOLFGANG) geschnitten und gestampft, in Peperoni-Sauce gemengt; der Sexy-Boy, der sich immer Geldstücke in die Ohren steckt, wäscht sich im Blut der geschlachteten Kuh.

Weil der Regen abends die Schlachtwiese ins Rote Meer verwandelt hatte und die Raben schon Blut und Wasser spucken, müssen wir unsere alte Höhle verlassen, da sie kurzerhand zur Festküche ernannt wurde. Der alte Aufpasser, dem nichtbezahlende Gäste ein Dorn im Auge sind, reagiert sich richtig ab an unserem Umzug, als würde die letzte Kolonialmacht die Flagge streichen, aber schließlich bekommen wir ein neues Himmelsviertel, schließlich regnet es beim Umziehen, warten Spinnweben-Siegerkränze auf uns, neuer Lichtradius und im Restaurant eine Tasse Tee, daß man Klavier spielen könnte auf den Tischen, Rikschajungen mit Nonsens-Reimen im Kopf: „My and tea, you one see“, ein Mopedmann haut sich zwinkernd eine ins Gesicht, hinter den Töpfen animierte Jungköche in kichernden Schlangentänzen.

Es wurde doch kein CURRYFEST, sondern ein Altar, ein Heiligtum, Orchideen in Ketchupflaschen, Räucherstäbchen, Veilchenparfüm, Kerzen, Musikanten mit Hawaiikränzen und der größte BEAT des Jahrhunderts! (Abstauber-Wolfgang hat sich ein Fleischstück geschnappt, brutzelt nun lichtscheu herum, glaubt, er sei der GRÖSSTE, ißt selbst nichts, sondern wirft Fetzen um sich: „Da, ihr Schweine, sollt auch mal was Vernünftiges essen!“) Ich haue ab und gehe zu den Moslems rüber, immer mehr füllt sich der Saal mit Leuten, um die Musiker gruppieren sich die Alten und Ehrenwerten, Ekstatiker in langen Mähnen, weiß überflutet von Kleidern und den Freuden der Feier, AMIN, unser Rikscha-Freund, ganz vorne, in mystischer Verwandlung, steigt langsam hoch aus seinem Fahrrad-Swing in Verzückung, seine Nackenwirbel sträuben sich gegen den Rhythmus, dem Drive der Trommeln und Klappern, er arbeitet wie eine Larve, aus ihrem Panzer gleitend, fährt mit aufgehenden Augen aus seinem Körper, *dann sehe ich,* hervorgewirbelt aus klatschenden Händen, Jimmy Hendrix' Vater in der Ecke, völlig stoned, ein vorzeitlicher, reicher Freak, über den ich all die anderen Teebringer vergesse, die mir geheime Botschaften von der Tür zurufen und mich aus ihren zur Chilum geformten Händen Dscharras ziehen lassen, die unvermeidliche Geste, und Wolfgang, den Reisehemingway.

DAS WOLGALIED

Die Landschaft wird immer arabischer, überall durchbleichendes Skelett der Wüste, meine alte Seefahrerliebe zum Staub flammt auf, Farben haben hier einen besonderen *Karat*, die Papageienschöpfe der Turbane, die buntbemalten Omnibusse, die gelbbestempelten Schafherden, die Rücken der Kühe wie Schneehänge im Frühling. Ich glaube wieder, daß die Farben – alle Arten von ihnen – die Sonne auf Erden vertreten, das Überirdische. Flache, weiße Wüstendörfer wie von Riesenstiefeln zertretene Riesentürme.

stoned im Zug, eine klare Melodie im rasenden Zug, das Wolgalied, unheimlich, ein Lachen zerschlägt meinen Käfig, Schichten Unruhe um mich, mein Stift saust herab, sobald ich ihn sinken lasse, verschwindet es, kann kaum so schnell schreiben, mein Stift saust wie ein Pfeil herab (ob es niemand bemerkt? die beiden Chinesen?)

who's he? He is the son of Mao.
And he? He is the son of Mao's wife

unheimliche Nachrichten, der kleine Junge erfährt eben, daß seine Mutter gestorben ist und lacht schallend auf, ob das Rollen vom Zug herrührt? aber ich *fühle* doch gerade das Gegenteil, ein Ventilator am Fuß, verstelle ihn, das Gelbe der Chinesen, wie er nach meiner Schrift schielt, jetzt hat er das Wort CHINESE auf meinem Blatt entdeckt, da duckt er sich und weint . . . . und jetzt grölte der Alte das Wolgalied, der Chinese grinst mir zu wie ein Pferd und ich grinse dreckig und neckisch zurück, dann aufhoppend wie Kinder auf Karussellpferden aufkicksen – da liegt der Chinese wie erschlagen da, dreht sich herum wie ein Lindwurm – Schreie von draußen, leise wie Einschüsse in ein Überschallflugzeug, Stimmen wie „so helft ihm doch hoch“, habe nun die ganze Zeit damit verplembert mit diesen BeObachtungen, der Chinese liest bei jemand anderen mit, jetzt summt der Wind das Wolgalied, Altosopran und mit Harfenwasser, wieder aufkocksend, schreib ja alles *falsch*! Sie stecken ihre Nasenlöcher zusammen, über all diesen versteckten Ventilatoren, Altosopran jetzt mit Wachtel-Überschlag, stelle fest, daß dieser Zeh fehlt! (oder langsam und schmerzlos wie eine Zigarettenkippe in Asche übergeht – ach, habe es ja zwischen den Händen,

FRANCOIS, der Franzose, geht seidlich turch mein Leben, glattgebadet, frisch entsprungen, EDDIE CONSTANTINE könnte sogar auf einem Rasiermesserrücken schreiben, drücke mir ganze Löcher in den Kopf, wenn das meine Mutter entdeckt, der Paki da spricht Holländisch und der Küchenjunge antwortet traurig:
Fish & Chips, uralte, glanzlose Phantasie, der Holländer mit seinem gefälschten Antiquitätenkopf, mit Salzsäure übergossen, sieht alt aus . . . . da hält mir jemand einen Geldschein vor die Augen, ich erschrick, er will ja nur wechseln, 2 x 5, jetzt macht der Geldschein erstaunt die Runde, huch, „diese Tasche auf meinen Krücken ist doch wie ein Petroleumkocher", kraunzte der Bettler . . . . das Papier sinkt wie ein Bett, gefährlich und rein physikalisch höchst sexuell, Busgäste drücken ihre Leiber aneinander, der da drüben liest MAD, wäre dufte, jetzt zu lesen, nein, daran hab ich doch schon vor einer Stunde gedacht, alles geschummelt, wiedererkenne mich als deutschen Adler auf comic-roten Geburtstagsparties der Wolgalied-hörenden 1920er New Yorker, *du* solltest es doch besser nicht singen! Oh, was für ein Blues! (die Farben auf dem Buch BEAT, das ist Blues, chinesische Schriftzeichen, Blues, der jetzt indischer wird, eine Schlange in Farbe, wie ein sich windender Fluß, mit Ohrglöckchen sich verneigend, Mazurkas feuern ihre Pferde an „hep, hep" und nun singen die Frauen im Frauenabteil und der Muezzin, alle das alte dreizehnzeilige Wolgalied, Schwäne glucksen und der ganze Scheiß „MERDE", so steht es geschrieben, meine Buchstaben sehen aus wie zerkratzte Eulenaugen, der Scheiß-Chinese drückt mir den Arm (affen durch eine Schachtel Räucherstäbchen? Nein, das gesuchte MAD, greifbar, aber der Chinese wie ein Fels, sein Arm wie eine 1000 Volt-Spannung, schreibe nun ganz spitz zusammengekauert wie eine Waldspechthexe, durch den Wald (ja) signumelierend, der Chinese zeigt mir einen MAD-Witz, verstehe die ganze, erschreckende Tiefe)

da beginnt sich alles zu realisieren und der Chinese lacht auf, „brauchst aber lang, bis dus verstehst", schlinzt der Schullehrermeister im Sammetröckchen im Oberstöckchen, der Bummelmann erhängt sich lach-los, kommt in Glimmzügen vom Himmel herab, Korporal fällt flach auf die Kröte und spuckt mir seine GRAUSAMEN Eingeweide (wery klein schreiben) entgegen: „Wenn er schlafen will, LASSSS ihn schlafen", der Chinese hat Rosengespinste der Liebe in seinem lustigen MAD-Buch, mein Geschreibsel (österreichisch) selbst wie ein COMIC, plötzlich stürmt alles aus dem Zug, gibt Wasser draußen, nur ein kleiner Zwerg blickt mir noch aufs Blatt. „Viel Glück", „Oh, good", sackte die Versammlung, der Chinese sägt nachts ritzeratze Verkehrszeichen um, furchtbares Geschrei, jemand hat hingeschissen oder hinonaniert! Mein Ruck SACK! Beiße mir in die Lippen, der Korporal blickt mich gestrenge an, beißt *sich* dabei in die Lippen, wohin mit der Asche, ruiniert die ganze Erde, selten so gestoned, selten so STONES getanzt, werde das Ganze vielleicht „In der Wolgalied-Disco" nennen, der Trapeztänzer knallt gegen einen riesigen Ventilator, „Oh, meine Verehrung!" Der Chinese kichert über ein Menü mit internationalen Speisen, RUSSISCH, Ballallalalaika, jetzt spricht der Chinese (gibt einfach kein besseres Wort, wie lang es ist!) mich auch noch an, „sprichst du Französisch? little bit. Sprichst sicher Deutsch, hi hi hi? " Wie grausam, murmelt ein Ei. Hat die Form eines Eies und .....? Ist dein Fuß dazwischen, sagt glaube ich der Franzose, jeder probiert den Dolch an sich aus, den der Zugverkäufer feilhält, HARAKIRI-Methode, alle auf einmal, jetzt Klappmesser, der Chinese steht auf und mißt den Stand seiner Schamhaare, Speichel fliegt mich an, jetzt schwingt der zweite Olympiateilnehmer seine aus einer Brusthälfte geformte Diskothek, ein amerikanischer Grieche, Amerika, Land der Griechen, „alles plattes Porno", schnaubt mit einer Entenbewegung meine Geburtstagstante im Kino („Tante Elefante rannte nach dem Schwante"), Chor der Schwulen, sollte eigentlich auch schlafen, am Boden ausgestreckt wie Francois („Anzeige gegen WALT DISNEY", war des Präsidenten erstes Wort, der Hollunder läßt eine brennende Kippe mir zwischen die Schenkel fallen, wie zärtlich und jetzt grausig, auf die Körper der am Boden Schlafenden, wie oft wiederhole ich das noch, grausige Entdeckungen von Kindern, das Wolgalied, jetzt so langsam wie in einer Meeresmuschel verschlummernd, wie von Paranoiden, oder aufständischen Aussätzigen gesungen, mit scharfen, schrecklich klaren, heimatlichen Jodlern dazwischen und jetzt der Gesang der strahlend marschierenden Prostituierten „STERBT NUR FÜR UNS HIN!", der Schluß wie ein Brausen, ausgeschnittene Comic-Figuren laufen weißverbeult durch die Straßen, ASTERIX WAS HERE! JAGOS STERN! Was für wunderschöne Haare er hat, der lachende, bärtige Mann mit den großen Stiefeln, seine lustige Pfeife fliegt ihm in die Stirn, ha, sieht aus wie ein Tumor, dieses feine wässrige Zelt, das um mich war (vorhin geschrieben) ist langsam weg, ein Überzieher, ganz klar, Perlentaucher und -innen binden sich tauchend rosige Quallen um die Schamteile „WOISTDAVORNE&HINTEN?" schreit-et der Neuseeländeraler und jetzt gebe ich Dummkopf, ich oh, erdolchter Schuft, dem Freund Francois, dem GUTEN HIRTEN, die ausgesoffene Flasche wieder zurück, verzeih, kann niemandem über den Berg gucken, der Chinese kichert haltlos, schaue nach, über welchen MAD-Scherz er lacht: dem Namen des Verfassers, kaum zu fassen „Zuhause in einem guten Bett, ja", sagt der Spanier zum Chinesen, „aber nicht hier!" „Oahoahoah", sagt der Chinese, seinen Grabdeckelmund zuklappend, überall nachwandernde Füße und Zehen, der Chinese taumelnd über Scherze, zwingt mir jetzt hämisch lächelnd eine Zigarette auf, mit der ich den schlafenden Francois noch verbrennen werde.

Der griechische Bulle sieht nachdenklich-gierig auf mein Blatt (jetzt zuckt er zusammen, sein Atem geht schwer und jetzt kaut er wieder Streichhölzer schnell, verspielt und höhnisch zwischen den Lippen, innehaltend zunächst und gleich bellt er auf und wird ein anderer, neuer Mensch; der Schaffner will die Fahrkarten, ein Bettler ohne Arm auf und ab wie ein Hampelmann:

„ICH WILL MEINE SUPPE NICHT", begehrt der Bettler auf.

Fallen da etwa versteckte Photos aus meinem Buch? Negative?

die feinen Kicks beim Schreiben der Blinden. Rico, du Pseudonym, hörst du mich? (an die Herren der Schöpfung gewandt) Aufsteigen eines Turms von Sätzen in meinem Hinterkopf: RICO war das Schöne im Menschen (was ich sagen wollte, was ich sagen wollte, durch die weiße Wüste gehetzt) „Ich lege die Feder hin und sterbe für euch", würde RICO sagen, wenn er Dichter wäre. Sprüche aus einem Tal hinter den DALI-Bergen, wie dreieckiger Adler-Rauch in den Himmel weinen, mit dem Lockenkopf Ricos als Wappen (Sätze wie Gänge eines Termitenhügels unter Aufglitzern zusammenlaufen), Rico war das Aktmodell einer Beethoven-Symphonie, die Büste auf einem Pianoforte mit eingebautem Zigaretten-Etui, wie kann ich ihn fremder machen? Euch fremder? Seine Stimme würde wie feiner Nebel den Glanz meiner Buchstaben aufwischen (wie eine Buchhalterin-Biene aufblickend), alle Dichter des Barocks in ihrer Tinte versinken lassen, seine FIGUR wäre da! Rico war die Erfindung der Figur als neue Dimension, über die Wellen der Musik wie Pathos gleitend. Ich frage Dich (wie kannst Du es wagen), dich aus solcher Schönheit in einen Teufel zu verwandeln? Wie kannst Du Dein stilles Gesicht aus Deinem hochgeschlagenen Frühlings-Mantelkragen mit solch abscheulicher Gebärde auftun? Laß nicht nach, Schönheit, kurze Schönheit! Wie ein Barockengel Füllhörner des Teufels ausstreckend in die Bogen-Farb-Blumen der Dunkelheit, Rico erschaffend im Strahlenglanz (& dem Feigenblatt der Ironie) zum Olymp aufsteigend mit dem Kichern DAISY DUCKS, mit dem Schwanz wedelnd, der grausame Kitsch-Teufel, der du bist! Der Tintenklecks, wenn deine Schönheit sich verliert! Blühe, dein Gesicht! Brenne, deine Hand!
Rico, du bist der neue Anfang am Ende. Wie konnte unser Gespräch sich so verkrampfen wie ein Ziegeneuter? Weil du nicht fern warst, weil ich dich durch mein Wort berührt hatte, und deine Sonne wie Frühlingsdunst einem dunklen Zimmer im Dach gewichen ist, in dem Gedanken bohren und spitzige Zeigefinger, die ich nie an dir bemerkt hatte. Und die Angst eines jeden vor seiner

Schönheit. Das Treffen zweier Aktmodelle: Rico und mir. Ein dürftiger Titel. Das Meckern eines Reigens von Gymnasien. Die Entfernung unserer Geburtsorte auf der Landkarte. Das einfachste Beispiel. Wir sind zwei verschiedene Naturen, du und ich, die sich nicht eingestehen wollen, sich nicht näherkommen wollen aus dem Dornröschenschloß ihrer Schönheit. Das lange Gespräch über MICKY-MAUS, dessen Häßlichkeit er in Entzückung verwandelt, die vor Freude gefalteten Hände der schönen Müllerin (das Klare dieses Verlusts macht mich stumm, meine Worte wie Blumensträuße auf das Grab unserer Freundschaft streuen, Kitschmusik hören und seiner Ferne angehören! Den Pelz seines Mantelkragens im Stiegenhaus hochflattern sehen! Rico, dein Pseudonym hat dich verlassen. Die entartete Grazie der Du-Ansprache. Die „Duz-Freunde im Bavaria-Keller" auf dem linken Ohr-Clips, den du, Rico, unsichtbar trägst. Fast hätte ich deinen richtigen Namen verraten. Der warnende Finger meiner Freundin im Hinterstübchen, das ABC aufsagen lassend *about our love*. Als unterhielten wir uns in fremden Sprachen, deren Grammatik wir nur beherrschen, die Wörter aber nicht. Wie alternde Ritterfräulein im Gesimse sitzend und dem ins Heilige Land ziehenden Gatten nachblickend, auf dem Besenstiel des Partizip Präsens wie eine Hexe reitend, in einen Kreuzzug des Teufels, als unsere Schönheit erlosch. Daß du mich meinen Hemdkragen jucken machtest vor Grüblerei. War die Musik etwa nicht schön genug für deine lüsternen Ohrläppchen? Denn wenn du dich zur Seite neigtest und einen Riff einsogst, warst du in voller Lebensgröße „DER FERNE". Der Held eines Western-Farbfilms in einen gelbstichigen Sonnenuntergang reitend, sein Pfeifen wie Galgenvögel-Zwitschern verdämmernd. Du bist nicht LUCKY LUKE aus SUPER-FIX und FOXI, es sei denn der „HL. LUCKY LUKE", wenn du diese Verbeugung mit einem MACKIE-MESSER-GRINSEN bewertest! Warum weicht dein Angriff gleich zurück? Aus Eitelkeit? Du bist deine eigene Witwe, wenn du deine Spinnenhände auf mein Bett legtest und die sich in Schatten tauchten, ein geträumter Trip, aus dem man aufwacht und zum Klo schleicht, ängstlichen Herzens und dort Rico antrifft, den Hasenfuß. Der deinen Gedanken gar nicht erst zuvorkommen will. Den Verdacht einer Bosheit über meine eingebildete Schönheit. Das Zusammen-Spiel. Ich horche ängstlich auf mein Herz wie schwarze Zuckerschnut und er hat mich liebgewonnen. Das Versinken der Gratulationskarten in einer griechischen Amphore, in dem Murmeln einer Quelle eines Bachs im BACH-HIMALAYA. Die Spitzen der Gedanken aller Absurden laufen in der WALHALLA hinter Regensburg zusammen. Auf welcher Rico seine Schönheit vergessen hat wie einen gestohlenen Pelz. Rico, der ausgestorbene Traum Mathilde Ludendorffs und eines ihr ergebenen, begnadigten Feldmarschalls? „Reise, Rico! Reite, Rico!" Laß deine Gesänge nicht von dem singenden Cowboy vertreiben, der Rita Hayworth im Sattel ähnelt. Wenn er zurückweicht, wird sein Körper grau wie das Fell einer Ratte. Wie verwelkte Veilchenblüten auf Meer-Hintergrund. „Leg dich backbord, altes Schiff!", sage ich zu ihm und trete aus unserer Gedanken-Firma aus. Geh WILLIE suchen! WILLIE wie Klein-Rübezahl in einem von mir stibitzten Jöppchen durch die Straßen hüpfen zu sehen, wäre eine große Erleichterung (für meine Arbeit als „feminine Art" unter den Jungs). Der undurchdringliche Slang MARLENE DIETRICHS als SEX-HERAUSFORDERUNG. Unbeholfene Schlagzeilen, das Unaussprechliche zu sagen. Im Fall der Weltkatastrophe. Wie eine weiße (!) Lawine aus dem Halbmond des NICHTS schütten auf eine Kinderzeichnung BETHLEHEMS. Noch tiefer unten, unter dem Papier des bisherigen Lebens, die Gesichter der früheren Leben aufgereiht, die barfüßige Schwelle des Bewußtseins, in Einfachheit und Zurücklehnung, im indischen Leben, das jeden Tag indischer wird, wie magische Früchte und Wurzeln aufsteigend aus meinem Zellen-Meer. Nick mir nicht nach, Rico, reden wir über die Musik. Fühlen wir den ROCK. Fürchte nicht das Alter, das dich bucklig und runzlig macht wie den Ton eines meckernden Geißbocks! Wir sind der Rock. Der Rock der Menschen über uns. Ich gestehe, du bist der Versoffene PETRUS, der Fels, und der Beginn unserer Freundschaft war wie das Fallen von Himmelsschlüsseln. Du stehst meiner Art von Kitschmusik noch vage und vorsichtig gegenüber. VORSICHT, BISSIGER HUND! Du versuchst dich zu retten in den Strom der umfassenden Musik. Die ich dir entziehe und vielleicht dich quäle. Oder nichts Besseres weiß. „Warum mußte unser Kind ausgerechnet ein Philosoph werden", schlage ich als junge Mutter die Hände über dem Kopf zusammen. Ich klatsche dich aus meinen Augen wie ein türkischer Sultan – das klebrige Lächeln eines opiumrauchenden Chinesen über seinen silbernen Kaffeekännchen-Bauch hinweg – das Schmatzen eines Waschbären – der Eichelhäher mit einem Gamsbart am Hut in einer Tyroler Volksbühnen-Kiste verschwindend – Opiumszenen über den Erdball aufglitzernd wie Manhattan bei Nacht – Tingeltangel – Stummfilme in grauem Lodenfilz. Du Eisenbahnwärterhäuschen am Ende der TRANSSIBIRISCHEN EISENBAHN, hörst du mich? Du Kratzer am OLYMP, hörst du mich? Du Eingeborenenhütte am Südpol, hörst du mich? Tropfen im Meer, hörst du mich? PICTURES OF SWEET HAPPINESS! Mit Mandelcreme auf die Kommuniontorte garniert. Schau nicht auf die Kinderbilder deiner Freunde! Sie könnten dich verwirren und deine Grausamkeit entfachen. Er kommt in mein Zimmer und legt seinen Heiligenschein ab, um mich einen ganzen Tag lang zu beeinflussen. Ein Gedanke an STANZI fliegt wie eine himmelblaue Brieftaube aus meinem Gehirnkasten. „Der Vogelhändler", aus der Ouver-türe des Märchenwalds der Musik blickend und nach einem COCA-COLA verlangend. Die einfachste Art, sich kennenzulernen: *der Frühling.* Ich habs. Darauf asthmatischer Hustenanfall, im schwarzen Trauerkleid des Winters noch eine schneebedeckte Straße entlangwanken, der Staub der Menschenscheuen und überrieselt werden von Helle wie von einem Laub-Bach. Dreifache Wort-Natur-Dimension der ZEN-BUDDHISTEN: ich grüße euch nur und ziehe weiter, einer anderen Fährte nachjagend.

INTERVIEW:
Warum schreiben Sie so? Weil ich nur eine bestimmte Zigarettenmarke rauche? Weil ich mich unter Ruth Leuweriks niedergeschlagenen Augen winde? Weil mein verstorbener Onkel Kinobesitzer war? Weil meine Stirn zuckt, wenn mir tagsüber märchenhafte

Dinge begegnen? Weil ich das Recht der Einsamen schätze? Weil ich spielen will in mir und mich an jeder Hausecke wiederfinden will! Weil ich der geborene Kuppler bin? Because I've lost Your telephone number?

Was man nicht alles so schreibt!

LÜGEN ERÖFFNEN MIR NEUE, UNGEAHNTE MÖGLICHKEITEN.

Sie steigen zu mir herab und befreien mich wie Zauberformeln. Sie nehmen mein Leben bei der Hand und entführen es, wie ältere, behandschuhte Männer kleine Mädchen in den Wald tragen und glücklich machen. Ich lache mein gottgewolltes Schicksal aus. Ich spiele höchstens mit ihm, aber sein ewiges Unterliegen wird mir langweilig. Ich gestehe mitleidig meinem Leben, daß ich es nicht mehr anerkenne.

Ich sinke in die Pose des römischen Statthalters zurück. Das Papier starrt mich entsetzt an, weil es auf nie verkündete Urteile wartet. Jesus auf einem japanischen Tuschbild mit einem Binsenkranz aus BUBBLEGUM-Engeln, das Edle in den schlanken Gedanken König JOGHURTS . . . König Salomon schlägt sein Buch auf, einen Kellersaal geraubter Schätze aus dem Reiche des Herrn . . . das Fluktuieren der Zierfische in einem Aquarium . . . mein dunkelblaues Gehirn in einem Zimmer der Puppenküche des Mittelalters, in einem wie ein Apfel gereiften Märchenfilm aus Farben, seine Hände umschnuppern mich wie Nordlicht-Rehe, in den Schauspieler-Hut Ricos wie Kaninchen zurücksausen, die GIRAFFE EINES GAMSBOCKS, das Versinken der Kontinente in den Augen eines türkisch-griechischen Schwertschlucking-Fakirs. Der Fakir-Tanz des Baseball-Favorits durch die gegnerischen Ketten, sich einstellende Assoziationen hüpfen wie Affen durch Tibets Lama-Tal – – – Überschriften von Wirtshäusern meiner Träume! Ihr Notenschlüssel aller alten Meister verschwindet von den Blättern und ENTROLLT EUCH! Ihr Mäanderbänder zerreißt!
Ihr Statuen steigt herab und fickt! Mich! Das Funkzeichen S.E.X. auf allen Schiffen im Hamburger Hafen – das Dazwischenbrüllen eines Polizisten, der sich gleichzeitig die Nase putzt – die Veränderung der Sitzordnung läßt die Hochzeit der Gedanken (die weißen Flimmer-Tanten) zu einem Traume werden . . . „unverständliche Fremdwörter", „*he said*", das Thema Nr. eins – vor allem beim

Sex!" Ich mache Sex mit einem Wort, das sich als Schweizer Bauerndirn mit Bärenmark-Arsch entpuppt. Derbe Gefühle verwandeln sich in das bunte Monster einer Trauerweide: *„ICH SPRINGE ÜBER DIE REIME der Wörter* hinweg", machte mit einem großen Satz das Nesthäkchen, als es sich in ein Boy-Scout-Titelbild Prinz Charles verwandelte – Küken auf dem Bett Neros, dessen lüsterne Augen in den Spielhöllen des Sex stehenblieben, Meister der Peitsche und Gong dieses Punkts.

Das Abrupte der Gedanken (die Sinus-Kurve) im Wellenschlag des Gewissens (hätten wir früher gesagt), den kleinen Finger des Rektors unterm Revers verschwinden sehen, Dagobert Duck wie eine Dampflokomotive der Goldgräberzeit auf dem Hunderennen der tropfenden Wasserhähne. Querstrich. Das Butzenscheiben-Häuschen meiner Gedanken im Knusper-Näuschen-Wald mit Einsturzgefahr (die vertrauliche Auskunft des Fremdenführers, der sich programmgemäß in den „Weißen Schwan vom Königssee" zu verwandeln hat, an der gegebenen Stelle: da fällt ein Ziegelstein Herab! Du Loch in der Mauer meines Ohrs! Ich muß dich anrufen! Sei Still! Und echoe nicht! Das Dekolleté ihrer Lippen, hinter den Vorhang eines Silberförster-Erika-Romans zurückstrauchelnd, die Sternenfahrt in den Rausch-Augen Marlene Dietrichs, der Rausch ihrer Augen, der enzian-bestreute Morgen der Kunst, das Austragen des FRIEDENS DES WORTES!

Die Großbuchstaben = *house of Lords*
Die Kleinbuchstaben = *house of commons*

Dies ein verkünstelter Vorschlag eines renitenten Advokaten aus Yorkshire mit Hornbrille und Spitzenhäubchen – die Popcorn-Arena der Mark-Twain-Begeisterten – die Anhänger der Steinzeit – im Hintergrund: Schloß Linderhof – Diapositive von Bilder-Alben: ich grüße einen chinesischen Harems-Maler mit dem Kuß der Treuherzigkeit! Nicht die Herzlosigkeit Van Goghs! Gegen die stürzenden Bühnen der Kulturtempel gefallen und von den Elefanten Hannibals zermantscht. Das Märchen vom Alpenglühen: Noch heute erzählen die Elefanten Afrikas von dem „weißen Land" ihrer Väter. Der Vergleich mit dem Menschen liegt nahe. Das Verblühen der Potenz eines Professors in Abstammungslehre: der religiöse Irrsinn des keuschen Paters *Gregor Mendel* (Fußnote) „Ich sehe meinen arischen Stammbaum wie einen siebenarmigen Leuchter aufleuchten!", rief zu seiner Entschuldigung der Halbjude vor dem Volksgerichtshof, aber er hatte sich schon verraten: jede Stilebene bricht ein: die Souffleuse will am Ende ihres Lebens alle Wörter wieder zurück, die sie eingesagt hat, Schauspieler entblättern sich wie Raupen, plötzlich im Schmetterlingsskelett des Todes dastehen in der CHAMBER OF HORRORS. Horror-Kälte im Frühsommer! Erfrischende Hitze! Ich möchte eine Frauenschriftstellerin sein und Euch erfrischende Hitze schenken. Himbeerpflücken im Frühsommer. Willy Birgel hat in seinem Jagdglas einen rosa Mädchenpopo entdeckt. Hieronymus Bosch und Andy Warhol in der Hölle in einem Gespräch über Pop-Kunst. Andy Warhol: „Ich bewundere Sie" – „ich Sie", Hieronymus Bosch. Essen ist das einzige Thema. Menüs erfinden! Glückschweinchen schlachten! Blaues Lotteriespiel meiner Gedanken, Worte wie Schlagzeilen über die aufgerissenen Zähne Willys glitzern sehen, Nachtstraßenfluchten zu meinen Freunden hinüber, Willy versackt mit hängender Zunge – aus dem Rahmen gefallen – das hervorquellende Auge Nietzsches aus dem Rahmen des NICHTS. Willy = *das fickende Nichts MECKI.* Das Zerstrahlen im fließender Freundschaft, die Einfachheit eines jeden Gedankens mit Ironien gesprenkelt, der Ziegenbock – Teufel der Bosheit im DOM DER HOHEN SÄULEN die unter der Geige Ricos wie von einem Erdbeben geschüttelt werden. Die kleinen Männer um meinen Tisch. Die Alraunmännlein. G. hat die Größe eines Schwanzlurchs. Das FAMILIEN FOTO meiner Freunde. Die Crew der U 47. Taktgefühl. Pst, sie schläft! Auf den Filmen reiten und ins Publikum schießen! Die Verfolger durch einen Sprung über den Canyon abhängen! Immer über Canyons springen! Und beim Zurückwinken in den Gesichtern der Verfolger so etwas wie Sympathie aufkommen sehen ... der Kopf eines jungen Bettlers, von Armut zerdrückt, sein Mund versinkt im See des Schweigens – untergehender Öl-Tanker des Spät-Kapitalismus ergib dich den Tiller-Girls, der Parade der Go-Go-girls, dem Schlag mit den Riesen-Wimpern der Andy-Warhol-Uhrenmarke! „Guten Tag, Herr Wort!" mimte der stumme Gedanke zum Wort „Könnten Sie bitte der Welt etwas von mir ausrichten?" Wie bitte? *WIE BITTE*. Das Prahlen der Industriekapitäne (die genauso seekrank werden), der Mode-i-punkt der eitlen Hochfinanz: der Seerobbenschnurrbart, die tannenzapfensteife, tadellose Traurigkeit, der Charme eines schlanken Frauenbeins!

Überstürzende Klischees weichen meinem KÖRPER. Ich raffe mich an der Erinnerung auf. Durchfall der Gedanken, setzt nicht ein! Diarrhöe. Der Arzt, der die Krankheiten seiner Patienten sammelt wie andere Briefmarken. Ich stöhne Euch zu. Ich versinke in den Schleppen, die alten Umarmungs-Szenen entrutschen, in dem Mantelkragen Ricos zum Beispiel: denn jeder ist fern; jeder ist fern von mir. Die Prüfung meiner Freunde an mich, als sie hinter der Leinwand hervortreten *ENDE*. Ich kann das Wort *ENDE auf den Filmen* nicht mehr sehen! Ich werde *NO END* an den Schluß meines Buchs schreiben. Weil der Vulkan meiner Gedanken weitertanzt. Weil ihr dies wie das Tagebuch Plinius des Älteren lesen sollt, am Ausbruchstage des Vesuvs! Müll-Geruch bei Katarrh Abfall-Epos der Weltgeschichte! Romanze der Kreuzzüge! Don Quichote de la Mancha war der erste weiße Bluessänger. Greta Garbo war die 20. Inkarnation Krishnas!
Kaugummi-Blase der Liebe, ich bin Dein. LOVE A PRESIDENT KISS A STRANGER! KILL A CRITIC! VERZEIHT, PRINZESSIN!

Ich kümmere mich nicht um den Aufbau meines Buches. Jetzt kommt:

CHITTAGONG II. TEIL

Ich mache die Erfahrung, daß unser langer Gastgeber sich für Hitlers letzten Konsul hält, Simon der größte Kolonialist englischer Sonne ist und Wolfgang sich in seinem Tagebuch mit „meine Wenigkeit" anredet – Wolfgang, der Bettelkindern rät, erst mal Deutsch zu lernen. und Simon, der sie mit nach England nehmen möchte, wo er sein Lebtag treue Diener an ihnen hätte.
Simon und ich sitzen quatschend vor der Tür und hauen alle der Reihe nach in die Pfanne.
Lasse mich von Wolfgang zu einem Spaziergang hinreißen oder vielmehr ich schicke meine Müdigkeit mit, ich selbst bleibe liegen, überwachsen von tausendjährigen Hitzesyndromen, aufgebahrt auf freundlichen Zigaretten –
und dann schleppt mich dieser beschissene, nervtötende Heimatdichter Wolfgang hart ans Paradies, an den Karnaphuli River zum Meer, auf hohe Baumstrünke, ins Adlernest des Winds (und meine Müdigkeit rennt zurück und ruft mich nach, den ganzen Kleinen) sehe Schiffe aus allen Welten und Zeiten versammelt, Gondeln, Schaluppen, Wikinger vordersteven, Segler wie blühende Falter, Sampans, mit Bastmatten überdacht, Träger steigen mit hochgebundenen Röcken aus den Fluten (daß dein Puls zu hüpfen anfängt) finde, daß gestrandete Schiffsrümpfe wie zerlegte Fische aussehen, vielleicht vereinigen sich Fische und Schiffe nach dem Tode – wir gehen zurück, geschmolzene Bäume brechen die Sonne, Schilder wie: Dr. Ahmad studied in London and failed, 1 Palme zu vermieten, Keep your hands closed, spuck nicht an die Wand! (warten darauf, daß uns jemand zu Tee einlädt oder Petroleum, und kaum habe ich ausgedacht, dumpf hineingerufen in den Hexenkrater meiner Kehle, schwarze Magie, denn schon öffnet ein Petroleumschieber seine Pforten, rudert mit beiden Armen und reibt uns richtigen goldnen Petroleum-Tee unter die Nase und fragt nicht nach Ost oder West) Wir leben nun schon seit Wochen in diesem halbzu-

genagelten Zimmer im Hinterhof des Igbal-Hotels, in stete Kämpfe mit dem Wachmann der Kompanie verwickelt, ergötzen uns an dem einzigen Mobiliar unserer Hütte, einem Dreckhaufen, unser Stuhl ging beim Muslim-Fest drauf, vielleicht hatte *er* eine Ahnung von den Ameisenzeiten, die uns heimsuchen sollten, gestern abend brach der Sturm los, ein zwei Hand breiter Streifen an der Wand, Ameise an Ameise, blutrot und fürchterlich wie die Flammenschrift am Palast Nebukadnezars, machten sich auf den Marsch zu ihren Laichplätzen unter Simons Koffer – zum Glück war Wolfgang, der Killer, da, wütete eine Stunde lang mit Benzin und schlug mit seinen Sandalen um sich, stampft seither Ameisenvölker aus dem Boden.
alle Arten von Schlangen, gezeichnet von einer kleinen Stehlratte, die mir eben die Jeans gewaschen hat, auf bediente Weise: in den Brunnen geworfen und mit den Füßen gestampft: SUPER JEANS. Bevor er zeichnet, reibt er das Papier an seinen Haaren, bis es von Öl glänzt und fein ist wie Pergament. Man sieht hier überall noch Spuren! Obwohl die kleine Stehlratte in heftiger Schwulen-Liebe zu Simon entbrannt ist, bestiehlt sie ihn bei jeder Vereinigung; Simon hat es sich inzwischen angewöhnt, bei solcher Gelegenheit ebenfalls zu stehlen. Sind sie nicht herrlich, die beiden?
Das „verächtliche Englisch": In reinster Prägung fand ich es bei einem Oberen Jungen aus Persien. Auf die Frage, ob er Englisch spreche, antwortete er sogleich definitiv: NO. Dabei sprach er ein ebenso flüssiges Englisch wie die Pistole eines Chikago-Helden, aber das Wort Yes schien ihm nicht zum Top-Englisch zu gehören, es sei denn für Dienerfamilien, Enzyklopädien und Handleser.
2. Juli: wurden nun endgültig aus dem Igbal-Schuppen getrieben, eigentlich hatte Simon beim Hemdensortieren plötzlich das Gefühl zu packen – und nun stehen wir wieder draußen auf der Straße, wo sollen wir unterschlüpfen, wo sollen wir schlafen, Eier legen? im Hohlen Pfeifen des Zugs, auf einer freien Anzeigenspalte der Morning News, auf den Regenpfählen des Gasoline-Monsuns, oder?
angezogen vom Sommerduft des Monds, wie eine Tulpe, gebettet auf Schäfchenwolken-Primeln und gleich schließt sich die Tulpe,

und als sie sich wieder öffnet ist es ein Engel, ein genialer Generalstabsengel, aufgewiegelt von nachäffenden Dächern die Marihuanapfeife sieht wie das Mundstück einer Trompete aus, ich erinnere mich an einen Jungen (mich), der plötzlich die Pfeife an die Lippen zog und eine klirrende Melodie darauf blies: Mutter! Mutter!
Abschied von Amirkabir: Simon griff nochmal zur Laute und stimmte unser Road-Halleluja an:

Fucking in the morning
Fuckin' in the evening
Fucking in the afternoon
fucking all day

Und Dramme klettert auf den Schrank und trommelt alle Blätter auf uns herab.
Nachts venezianisches Abendrot, Heiligenhimmelfahrten im Hintergrund, Danke für deinen Besuch, Leonardo – aber alles verfällt der Zensur der Ameisen hier, sie fressen die Farben, die Kunst, das Wetter, die Romantik, nicht mal der Diktator kann sich halten!
Für alle, die mal nach Chittagong kommen sollten, „*bandschop*" heißt „Motherfucker" und ist eine durchaus liebevolle Anrede.
Auf einer anderen Fete traf ich einen jener dicklichen Jünglinge, dem Kinderstaralter entwachsen, die an der Zigarette schmatzen und irgendwo eine winzige Warze verbergen. Hochgehalten von hüpfenden Flöhen, falle ich immer wieder in seine abrupten Umarmungen, komme in das Gesicht einer Audrey Hepburn zu liegen, hochnäsig, verzärtelt, begehrt.
Kalu Sadargar, mein Liebhaber, der größte Manilahanf-Bonze im Town, den ich vor Tagen als rührenden Mohrenknaben hinter der Trommel kennengelernt habe, nimmt mich wieder mit zu einem Haschisch-Heute-abend, sehe noch einmal die vertrauten, tagsüber verzerrten Gesichter: „Eier-Kompanie" in das Spiel seines Banjos verscharrt, „Good Morning" schneidet wie ein Fleischer über dem Hackstock Haschisch-Zungen in Sterne, der Schuster mit Mini-Zimbeln unter den Fingernägeln, der alte Schließmann bekommt

nun den Zupfbaß in die Hand und erwacht aus seiner Lethargie zu uralten Lagerfeuer-Sinnen (überliefert von mathematisch dressierten Hunden, daß Jesus die Toten mit Musik erweckte, mit ultrahoher Musik, nur für Tote hörbar und eben für mathematisch dressierte Hunde) da beginnen an der Decke die Gegenstände nach oben im Musikhauch zu schwingen, Laternen, Kübel, Kanister, Pakete und Kessel, ein bunter Adventskranz, Barbarazweig und wir die Kerzen, und sondern Töne ab, schnurrende Klänge in greisem Hohn ... hast du gesehen, wie sich die Schatten gegenseitig beleuchten, Fenster, Türen, Gitter in die Wangen der anderen Schatten reißen, hast du gesehen? Am Fenster jetzt der Ur-Hipster (dem die Kuh gehörte, die beim Muslim-Fest geschlachtet wurde, und der seitdem nur hin und wieder glücklich war), seine Züge zu einem Zwergenlächeln niedergebrannt und nochmal sehe ich ihn am Ende der Allnacht, mit einem Räucherstäbchen im Turban – oh, gib mir das Feuer!
Denke an die direkte Fortpflanzung der Hipsters aus den Armenhütten Chittagongs nach San Fran oder Village an Darwins Möglichkeiten ...
Singen in polyphoner Freude, ich verstehe Worte wie: „Isa" (Jesus), „Musa" (Mose) und „Zappa", nach kurzem steigen wir in unsere Rotkäppchen-Rikscha, Amin beginnt wie Agela-ge oder Janning-na, und später vernehme ich Englisch und ich begreife spontan, daß er mir das Lied erklärt, einfach ohne aufhören zu trällern, und er braucht Worte wie „Herzfreund" und „Pussie" statt Liebe. „Kennst du noch den Spruch? " sagt Eier-Kompanie „*Love* and friendship given heavenly gifts" (findet in Wolfgangs Tagebuch seinen Niederschlag: Jetzt habe ich einen Freund gefunden, den ich mit nach Hause nehme!)
Seitdem gehe ich jeden Abend in Kalu Sadargars überfülltes Kontor, wo ich nur zu sitzen, rauchen und Tee zu trinken brauche und von Zeit zu Zeit Kalu Sadargars Name laut, geziert und fremdländisch aussprechen muß, um alles in helle Verwunderung ausbrechen zu sehen. Draußen bebrillte Evangelisten und gutmütige, interessierte Malariagesichter.

Mit dem deutschsprechenden Alten auf Arbeitssuche (der einmal von einem deutschen Gaul übers Knie getreten wurde, wie er mir sagte) Wir benützen wie eh und je die Eisenbahnschienen als Weg und können ihrer Philosophie nicht entgehen: „Sehen Sie die vielen Zahlen", ruft der dezimierte Alte plötzlich, „eins, zwei, drei . . . und für jede Zahl ein eigenes Wort, man muß sie nur packen und alles, alles herunterholen." Weiter erzählt er mir von SEINEM Buch, seinem einzigen Freund, und er sagt, es sei reine Zauberei; und es stellt sich heraus, daß es ein dt.-franz. Dictionnaire ist und ich weiß jetzt auch, wieso, denn: „Da ist die ganze Erde und der ganze Himmel drin, damit kann ich alles am Arsch hauen!"
Beschäftigung mit Strahlen, ich sehe drüben beim Schuhmacher den Schein der Öllampe, konzentriere zwei, drei Strahlenfäden auf meinem schwarzen Finger (ägyptischen Schlangen vor dem Pharao) und hole sie ganz dicht an meine Augen heran, bis ich die Glut nicht länger ertragen kann . . .
Das Halbdunkel ist die sichtbare Geburt der Dämonen. Bei Tageshelle verschwinden sie in Überbelichtung. Irre, wie sich Türknäufe in Löwen verformen, unsere 5 Finger in Flügel, Buschgeister, Entenmänner und Dschunken, die Unzahl der Seinsmöglichkeiten breitet sich aus, als ob unser Körper-Segen aufginge und bei Tag wieder erstarrt in einer Plastikmarke.

SHIT MUSIK

Die rhythmische Begleitung der Dscharras-Gesänge ähnelt anfangs sehr dem punktierten Marschtritt faschistischer Truppen, was den Stimmen Gelegenheit gibt, den ewigen Kontrapunkt abzuschütteln und loszufliegen. Sind sie einmal vom Boden ab, und erleuchten den Nachthimmel, treibt der Rhythmus mit dem Regime seinen Spaß, spießt die Trommeln auf und geht in ein undurchdringliches, verrücktes Gekrabbel über, in dessen Maschen sich die Stimmen wiederfangen, auf betörende Weise: Nachtigallen im Pfauengesträuch der Sitars.
In Wirklichkeit aber ist es ein Hexenkessel, ein einziger, übermächtiger Aufschrei, Erwachen bis zur letzten Fiber, nie gekanntes *volles* Erwachen, vom Heiligen Geist geritten, rockende Tablas, Körper schwenken aus wie Riesenräder, hochgewirbelt vom Zyklon der Musik – und noch mächtiger die Stille nachher, als hätten wir alle Stimmen und Laute eingeatmet, tief in die Winkel unserer Lungen, die Buchstabenworte alle ertrunken in der Tinte der Finsternis, völlige, schwerelose Stille, jemand greift nach Allah, aufkommende Mondstaubblöcke.
Der Regen wirkt wie ein Rotfilter auf die Landschaft, die Stadt in Pauspapier abgedruckt, langsam zerknitternd im Wasser (glaube in eine Muschel einzutreten, der ferne Horizont das Scharnier, höre schon den Luftzug, wie der Himmel hinter mir zuschnappt.).

TRIP GENERATION

Jetzt bin ich da. Jetzt habe ich die Geste erreicht, in der ihr mich sehen könnt. BUDDHA, du Indianer des Mißtrauens, schreck nicht zurück! Die Phase, in der die Wasch-Wrangel meiner Erinnerung aussetzt, in der ich Euch besuche wie ein Stromausfall. Die ÄRA EDISON, in der die Präsidenten-Köpfe von Colorado EUCH GEHÖREN. Jetzt liebe ich Euch.
Meine Augen schweifen ins All und lehnen sich gegen die Brust des Himmels. Mähdrescher der Schwingungen über Klapsmühle-Falter hinunter in das Tal des Tanzes! Ich fordere euch zum TANZEN auf in der MUSIK meiner Worte! Vergeßt Eure Abneigung gegen das Wort Es sei Musik – MUSIK DER LIEBE! Ich zerreiße sachte den „Heißen Draht" unter dem Atlantik und flüstere „Liebe" hinein, ich erscheine als Fee auf den Verhandlungstischen und pfeife die Zahlenmäuschen aus dem Haus! Ich bin der Funke des Märchens! Laßt mich in Eure Köpfe springen, ohne Euch weh zu tun! Ich liebe den Wall der Tanten auf der Brustwarze der Erde. Ich ertrinke im Eis des Ewigen Auges. Und fische mich aus dem blauen GELDSCHRANK des Himmels. Als ersten Furz lasse ich das ORIGINAL römische Weltreich aus dem Hintern sausen, als zweiten das Reich Dschinis Khans und als dritten die Leser der Vergangenheit. Zeitung des Alls, laß den Regen deine Buchstaben fortwischen in die Nebel-Ohren aller! Ich bin der schwarze Saum der sich zu einem Kuß formt. Von oben. Von unten. Von überall. Ich bin die Zeile, die wie ein Windhund durch Eure Geweihe schießt.
Wendet Euch einem kleinen Gespräch mit Rosenthal Schöps zu, einen Augenblick! Er ist mein Freund. Du bist ein Motor und deshalb liebe ich dich. Du bist eine SUPERMARKE. Du bist Willy The Great. Du bist kein „zum Beispiel" Du bist du. Ich bin Du. Wir sind ein Zeichen der dunklen Sonne. Wer ist das Über-Echo? Übertönt das Über-Echo in Euch durch die Musik des Schweigens. „Kirschenentsteinung des Geists" heißt dieser Film und ich bin die Pistole eures Aufruhrs. Die in den Ruinen des Nichts verhallt. Die vergilbte Background-Laube der Ich-du-Religion. Sex des Wortes und Sex

der Berührung. Ein Reich in dem LEX SEX herrscht und Königin Nirwana uns in ihr kaltes Bett bittet, um von unsrer Wärme zu kosten. Der Augenblick, wenn die Nabelschnur nicht mehr schmerzt. und die Ärzte der Welt spurlos verschwinden. Die Raumfahrt-Medizin verteile ich. He? Ich lasse meine Freundin zu Euch sprechen wie zu mir. Ich bin der Tau des Morgens. Und die Blume die durch den Telefonhörer spricht. Weil der eiserne Wille nicht eisern ist. Weil wir aus dem Laub treten und kosmische Länderspiele austragen, weil ich den Fußball der Meinungen in Euer Spiel zurückwerfe und als junge Frau zurückschaue. Ich kann es nicht anders sagen, um diese Wärme auszustoßen. Um die Bücher des Lebens in Flammen zu setzen und die Asche des Friedens auf Eure Stirn zu wehen. Ich halte die Schaukel Eurer Gedanken für eine Sekunde an. Bitte. Um die heroischen Töne der PEANUTS über die Welt zu schicken. Weil Sie Ihr Privatleben an der Garderobe abgeben! Und eintreten in den UNSICHTBAREN ZIRKUS ohne Vergleich! Ihr seid schön! Spiegelt Euch in meinen Augen! Wendet Euch Euren Freunden zu, während ihr lest! Aus dem Gartenlauben-Igel des Gestern ins Bodenlose. Ich bin euer Liftboy zu Gott. Ich bin der Pfarrer vor dem Henker. Ich liefere 78 Witze die Woche. Weil unser Fels sich in einen Adler verwandelt und vor das Hakenkreuz fliegt. Schwarzer Buddha, die Box-Arena der Liebe von den Kindern zum Spielen benutzt! Der Galgen dient einem Spatz als Heim! Folklore, mach was du willst!
Sprich eine Sprache, die Nerven tötet. Wenn das Lachen des Teufels die Seifenblasen der Liebe wie ein Fallbeil zerschlägt. Mein Herz tuckert zum Auslaufen. Auf den Spiegel der Worte. Ich denke an alle Männer, die die Worte VERWANDELN könnten. Ich gedenke ihnen, denn wir sind FREI. Ich verspreche Euch ewiges Leben, wenn Ihr dieses Sendezeichen länger als eine hundertstel Sekunde hört. Ich komme zu Euch als Hirsebrei der Armut und als Stolz des Glücks. Ich möchte meinen Buchstaben für Kinder tanzen lassen wie Kasperl und Gretl am Ende der Vorstellung. Ihr könnt euch vor meinen Augen verwandeln! Wir tauschen Briefmarken der erotischen Sensation wir schmelzen unsre Vorschußlorbeeren ein und

küssen uns.
Ich habe unzählige Hochzeiten hinter mir und pisse auf die Gasse. Ich bin in mein Büro zurückgekehrt. *Das war mein letztes Lebenszeichen.* Und im 1. Stock: Ball der einsamen Herzen, die unglaublichsten Paare und das Fallschirmflieger-Gefühl nach dem Koitus. In einer Welt des Bullen-Sports. Wo die Bulldoggen der Kritiker die wahren Worte auffressen. Wo die Kritiker die Mundschenks der Diktatoren sind. Das Reich des Sultans breitet sich wie eine Käseglocke über unser Denken. Ich erschoß Old Shatterhand persönlich. Und beschützte und liebte und fickte Winnetou. Dein Tod ist nicht vergessen. Jede Zigarette eine Blutsbrüderschaft. Jedes Zwinkern eine Geschichte zwischen dir und mir. Warum Verhältnisse? Wir liegen auf dem großen Körper des 20. Jahrhunderts und LEBEN. Jeder von Euch lebt und ist schon soundso viele Jahre alt. Ich erinnere Euch daran wie an einen Hochzeitstag! Weil ihr mir zu tief auf den Grund meiner Blume geschaut habt, weil ihr in Honig versinkt. In nicht klebrigem, weißem Honig, süß wie der Wind. Ich puste Euch an und trage Euch über die silbernen Tannen hinaus in eine AUFWÄRTS-BEWEGUNG des Münder-Stroms. Ich befreie die Gemälde der Charakter von ihrer Schwärze. Ich wirke stark.
Ich spreche durch meine Gegenstände zu Euch. Die Lehre Buddhas war groß, weil sie kauf-intensiv war. Weil sie Armut = Leiden setzte, weil sie das klare Götterbild des Wahnsinns auf den Tisch der Welt stellte, weil sie die Weltkugel rund machte. Weil ich Euch sage, daß die Welt nicht rund ist. Wenn ich meine Blumen gieße, durchbrechen ihre Blüten die Sphäre. Weil alles zu welken aufhört, weil Buddha Eure Köpfe spaltet und ich der andere Teil Eures Kopfes bin. Wenn die Güte FU MAN CHUS im Staub der Gedanken erlischt und die Hakennase des Schauspielers der inneren Schönheit weicht. Ich blicke die Bilder an meiner Wand an, wie die Dynastien der Leute, deren Auto nicht zündete. Ich sehe Euch in meinen Bildern und spiele im Tanz der Derwische die Rolle der Nacht. Ich kille Raum und Zeit und bin Euer Held. Ich bin eine ausgeblutete rote Kerze, ich bin die Dinge um mich. Ich bin die Luft, die um Euch schwebt. Ich bin das Ewige klingelnde Telefon.

Ich versuche seit meiner Geburt ein Gesetz zur Verbreitung der Schießkunst zu erlassen. Mein Körper sprudelt wie Coca-Cola für Euch. Die Anhänger des Personenkults vergraben ihre Kriegsbeile mit den Anhängern der Drogen. Ich bin der lautlose Kanonenschuß. Ich fahre durch das Sonnensystem der Egozentrik in einem Freudenzug. Ich schenke Euch die Quelle des Nils! Beobachtet die Gegenstände um Euch, wie sie ihr „Bravo" verweigern. Weil sie nicht sprechen können. Es sei denn durch *EUCH*.

Ich bin ein *MICKY – MAUS – HEFT.*

Allmählich bekommt man LUST, einen
Schluß zu provozieren. Alle Arten von Schlüssen.
Das letzte Wort auf den Misthaufen werfen und
abziehen!
Oder soll ich Chittagong III. Teil anschließen?
Es wäre sehr schön.

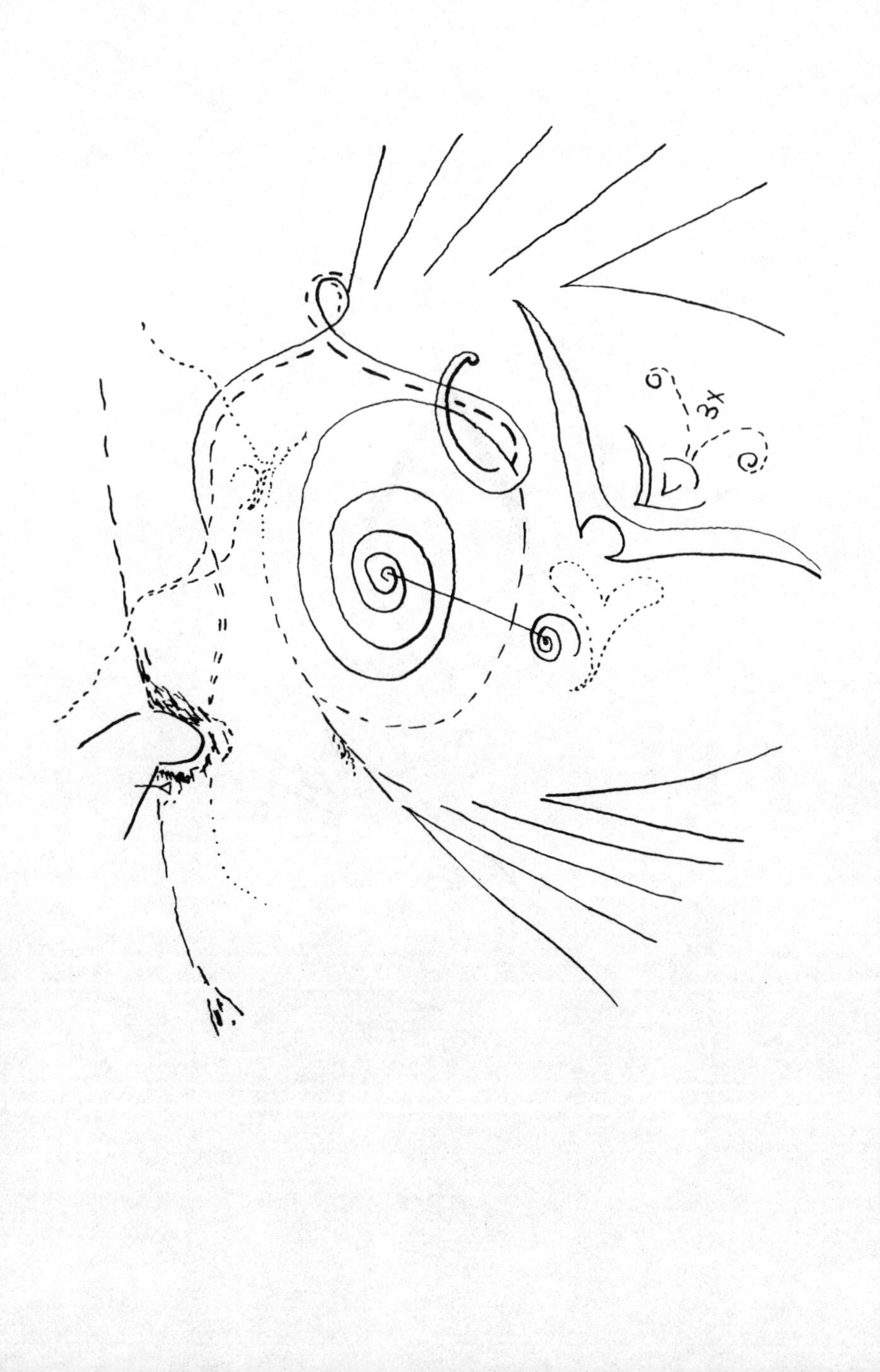
3x

A

VERY SOFT MUSIK

1. Die Episode des Affentheaters
2. Die Episode des Riffs
3. Die Episode des Backgrounds
4. Die Episode der Rückseite

INDIA
du bist die Öffnung
im Bauch der Welt
Du bist der Uterus Rigsies,
in dem sich mein Penis so gerne ausgeweint hätte.
Du bist der Vogel und ich der Fisch. In jeder Farbe erkenne ich dich wieder. Ich träume über deinen Worten nach wie ein flatternder Seitensprung-Jüngling. Du bist die Flamme des Lebens. Du bist die goldene Rinde der Blume. Du bist das Vaterland der Film-Seele, die mich fing, wie die Prinzessin den Goldkäfer. Du bist der kleine blasse Garten der Freiheit. Der Rückfall in die Seligkeit der lebendigen Geburt. Du bist die Träne, die das Auge zerreißt. Du bist die Nähe und Geborgenheit des Morgenröte-Horizonts. Ich ließ die Bretter der Traurigkeit hinter mir und trete in dich hinein.
I CAN'T GET NO SCIENCE-FICTION!
SCHWEBE! VERBREITE DICH!

Wir sind die Flügel des Fisches und die blauen Helferlein Daniel Düsentriebs! Ich rede mich an, weil mein Ich im Kinosaal der Weite verstummt, weil mich der Bart Abrahams kitzelt, weil ich Euch auf die kleinen Inseln Indiens ziehe wie Bomba, der Dschungel-Boy. Indien ist das Jena-er Glas des Films. Meine indischen Freunde verblühen wie Blumen. Ich bin ihr Gärtner. Eine Reliquie aus den schönen Augen Amins sei noch in dieses Buch gelegt wie ein Albumblatt. Eine Liebeserinnerung – eine verschwundene gelbe Rose. Indien ist das verhallende ANNO DOMINI.

BIG LOVE
SHANTI

NACHWORT

ALPEN – GLORIA

NEUE INSTRUMENTE
Solist: Herr Mr. Metronom
Lupo: Seifenbläser und Chef des Environments
des weiteren: Christbaumkugeln, Lämmchenglöckchen, Blumengießer, Gesangbücher, Aktmodelle, das Pianissimo chinesischer Friseure, jemand, der Aquarium spielt, die Wandergitarre „Studioso" und als Baß der Heimweh-Rückwärtsgang eines MAN-Lastwagens, die Ziehung der Lottozahlen als Wiegenlied, Glasharfen, feines Aprilwetter, Tau-Sucher, Teepflücker, Rauschgiftengel, Muschelesser, die Serenade der Frösche, die Stenotypisten des Jubels, die Wolga, die Heerschar der Sounds, die Bilder-Musik, die ewigen Spaghettis der Gefühle, jeder von uns ist ein Instrument, dadurch, daß er da ist und die Melodie empfängt wie ein Baby .... Musik so zart wie glitzernde Spinnweben in der Morgensonne

Peter: Germany is a land of contrasts (Ein wahrer Spruch!)
Mitsummer, Mitwisser in alten Filmen zu sein, das ist die Musik. Das Reich des *TERMINUS TECHNIKUS* ist zuende. Die Musik löst uns auf. Die STRICKenden Frauen, die Kartenhäuser und Luftschlösser sind da, die Seifenblasen zerplatzen nie, ein Yogi steht 7 Jahre lang, Zigaretten und Kommunionkerzen, Chöre im Gruppensex, fallende Tannennadeln, verschluckte Steine, der reife Wasser-Blues aus dem Delta, das Knistern der Tränensäcke in der Oper, die Freiwillige Feuerwehr beim Wiener Opernhaus-Brand, die schwarze Musik des Feuers, die Joint von Thomas Argauer, der Mund von MICKY-MAUS, die erogenen Stöckelschuhe DAISY DUCKS im Sonnenuntergang, der Song des Erdinneren, die lautlose Lava in einer WILDWEST-Odyssee, Beleuchtungskeramiker, Verstärker, Korallen-Riffs, Umblätterer, Taktwechsel, verrostete Fanfaren, Dreiklänge, Vokal-Ärsche, wachsende Bäume, Gassenheuler, der Triumph der Büstenhalter, in U-Bahnen und auf Kirchtürmen zu spielen, auf dem Lug-ins-Land zu schalmeien, auf dem Misthaufen zu pfeifen, im Tränental zu schmausen, auf einer Sechzehntel-

note durch den Tag zu hüpfen, auf der Orange des Globus zu sitzen und Musik zu verbreiten, die Reporter der Windrose beginnen zu trällern, Lassie und Fury, die grünen Augen der Wassernixen im Bad, der Rausch der Saunas, der weiße CO_2-Fimmel des Atems, der Schlaf der Wolken, das Kräuseln der Lippen, der geisterhafte Ruderschlag des Olympia-Achters, der innehaltende Radiergummi, das laute „STILLE NACHT", die Gesänge der Träume vom Glück, das Land des Lachens, die Sprache der Mundwinkel, die Stahlküsse, die verschenkte Elektronenpistole DIE MUSIK BIST DU

Kuckuck!
Kuckuck!

ERZERUM

Am späten Nachmittag platze ich in ein Café in Erzerum, Sonne tropft herein, treffe auf Bauern, die tagelang vergeblich ihrem Pferd nachgelaufen sind über die Felder, auf junge Geschäftemacher, die ihre Autoschlüssel kreisen lassen . . . treffe wie nichts auf MICH selbst, inhaliere den endlosen Zuckerfluß türkischer Musik, Milchreis, Kaffee, den unsere Vorfahren (am Rande bemerkt) für Kamelmist hielten, völlige Ruhe empfängt mich, höflich „Guten Abend" machend (der „Kiff" der Orientalen ha) als Folge von Über-Über-Nächten, Halbschlafgeständnissen, sitze gebannt auf meinem Stuhl wie auf einem Thron, reif für salomonische Urteile, beobachte das Treiben der Kutscher und Schuhputzer, der Frauen mit Schleier (ein vergrößertes HYMEN), der Männer mit offenen Hosenfallen, alle Bewegungen laufen konzentrisch vor meinen Füßen zusammen und ich bin überzeugt, daß alles richtig ist, was ich tue, wie könnte es anders sein.
Man hämmert die ganze Nacht, die erfinden mir noch die Elektrizität, Kids . . . .

Erwache jeden Morgen wie es scheint ohne Gelenke und Knochen, suche verzweifelt im Spiegel meine Augen, wie oft hat mich seitdem das Licht der Welt hervorgekramt – SIM steht um 4 Uhr auf, beobachtet den Sonnenaufgang über dem Mos ik, wäscht die Blätter des Gummibaums, geht die gespickten Wände (die Zahnbürsten) hinauf spazieren „wenn ich Schmerzen habe, fühle ich, daß ich liebe".

Die fetten Jahre beginnen, abends zwei Schüsseln Reis, Filter-Menthol-Zigaretten tanzen mir vorm Mund herum, in Restaurants mit Mohammed-Wahlplakaten, der Schah kreischend von Engeln entführt.

Bin für einen Augenblick in Sicht gekommen, in der großen Wahlrede Ahmeds (der gutmütige, heimkehrende Odysseus hinter dem

Steuer): „Die verschütten doch nur unser ganzes, süßes Benzin hier, ignorieren unsere ganze Kultur hier, hocken auf den Straßen herum, für was haben wir sie denn gebaut, für Allah womöglich", brüllen Hallo, festhalten, Scheiße hinaus, grad wie es uns einfällt und immer wieder TAMAM, aus, vorbei, finito, passé, verstehe, okay, kaputt, leck mich am Arsch, wer TAMAM kann, kann Türkisch, spricht alle Sprachen, auch ohne die Scheißhäuser von Babylon, auch ohne das Gemecker der Nachtigallen, die sich um alles kümmern.

OUT

Der Morgen öffnet, leise in sich hineinfluchend, die Katakombe meines Zimmers, verwandelt die Menschen in Kinder, die Kinder in Riesen. Picke mich aus meinem nächtlichen Spielzeug heraus, die Straße wölbt sich unter meinen Schritten. Alle östlichen Städte sind gleich, treiben die Leute aus dem Licht, sind uferlos, Post-Office-Labyrinthe, sie umkreisen mich wie ein trügerischer Zyklon, die Ausfahrt, die Welt scheint unerreicht, spüre die Hartnäckigkeit der Straße, meine erschöpften Füße treten sie wie eine frigide grinsende Gigantenfrau – und dann bin ich doch hinüber, umklettert von zeternden Kindern, von Studenten der Allwissenschaft. Ich versuche mehrmals, den Autos zu winken, aber niemand sieht mich in meinem Gefolge, sieht aus dort wie ein jämmerlicher Verkehrsunfall, alles denkt: nicht halten, nur weiter.
Da erinnert sich einer meiner Anhänger daran, daß er einmal dieses fabelhafte „Good bye" gelernt hat, wartet auf seinen Auftritt, läuft puterrot an vor Stolz und gleich schüttle ich hundert Hände und stehe wieder allein im Wind. Ein Mit-Gott-Lastwagen fällt mir fast vor die Füße, ich springe hinten auf und lande unter fahrendem Volk, ein Holzhändler, halb von sich selbst verschüttet, ein herumfummelnder Bursche, Mechaniker vielleicht, turnt im Stahlgerüst und äfft hämisch den Abgründen nach . . . gegenüber aber jenes wunderbare, verhüllte Mädchen, gewahre nur seine Augen, das übrige Gesicht scheint etwas anderes zu sein, eine Maske, ein hölzernes Gitter. Folge ihren ausfliegenden Blicken über die Berge zurück, die sich im Ernstfall für Eastmancolour entscheiden, über die rockenden Erosionen der Hügel, den Hauch von Menschendörfern, dieses unendliche, lautlose Gleiten, durcheinandergeschüttelt wie ein Raumfahrtkandidat, wie mein Skelett die Form eines harten aber sicheren Bettgestells annimmt, in das ich jederzeit zurücksinken kann.
In einem Bergnest hält der Laden, ich baumle herab, schwarz-nackt vor Dreck, sehe einen MERCEDES wie eine Erscheinung

„Wo hast du das gemalt"
„Im Himmel, Junge"
„Sieht so . . . deutsch aus"
„Der Himmel ist deutsch, Hitler ist da, Mann".

Es ist eine ERSCHEINUNG, keine 10 Minuten später sitze ich in dem Wagen, von zwei luxuriösen Persern verschleppt, mitgerissen vom Lachen der Plastik-Blumen, von der irrsinnigen Lust des Wagens. Der Motor kommt über sie wie eine Naturkatastrophe, dreht sie auf, sie zucken in Ekstase, klatschen sich auf die Schenkel, schnalzen, lassen den Ganghebel schnappen, stoßen den Zigarettenanzünder krachend ins Cockpit-Fleisch – erwarte jeden Moment, daß das Auto birst – alle 5 Sekunden sehen sie's mir an, wirbeln herum, fragen mich ein Wort auf deutsch, buchstabieren sich halbtot und haben es schon vergessen.
Nicht mit Worten zu sagen, diese Non-stop-Jagd nach Staubwolken, Kurzwellensendern, in Zeitlupe ablaufenden Pässen, von Witzen und Frauenherzen durchtränkt, hochgeworfen in den Äther, über die Länder hinweg, ins überall, Rauch im Abzug der Sonne, der Ararat rollt über und unter uns hinweg, zwischen den Augen durch, erfasse spontan, daß hier etwas Großes, Weltbewegendes stattgefunden haben muß & gleich höre ich von Noah, dessen Arche hier herunterkam – jammerschade, solch ein Trip!

Mahmud saust nachts dreimal raus, parkt seinen Wagen um, brummt wie in Trance an alle Ecken, erkennt ihn am nächsten Morgen nicht wieder.

Zehn Meilen weiter: Rauchzeichen, VW-Untergang, Asphaltmord, Vater und Sohn tot, von Fliegenheeren betrauert, Gott der abgeschliffenen Reifen, der 2000 Stundenkilometer. Der Wagen schlägt auf der Straße aus – beobachte zwei VWs, die genüßlich die Straße auffressen (HE, HAST DU AUCH DIESES DUFTE SUPER-BENZIN GETANKT).